물어뜯은 손톱에도 달의 이름을 붙이는 습관

전윤철 문장집

목차

Ⅱ. 나는 너를 영원히 영원해

Ⅲ. 들여다보는 마음으로

작가의 말

사람은 무엇으로 사는가

사랑으로

Ⅰ. 그 어떤 말도 불필요해지는

사랑학개론

사랑의 민낯에 대해 생각한다

발가벗겨진 마음과
입술의 파열음을

시가 되고 주제가 되는
네 언어와 행동 양식을

상호 불가해의 영역이지만
그렇기 때문에 낱낱이 알게 되는
기이한 현상을

무언가 받고 싶었던 때와
그러므로 돌려줘야만 했던 때

둘 사이를 어림하다 보면
까마득하게 너는 멀어 보이고

들여다봐도 보이지 않는 것만 같고

그럴 때
숨이 막힐 것 같은 때면

잘 자야 하는 나를 위해
젖은 수건을 머리맡에 걸어두는

마음
그런 마음을 생각한다

그 어떤 말도 불필요해지는

너는 나를 이해하니 묻는다

내게 말투를 옮은 네가 물으면
네게 입꼬리를 옮은 내가 웃는다

그게 무슨 말인지
왜 그런 말을 했는지
아무것도 알 수 없지만

나는 고개를 끄덕인다

너 혹시 나를 미워하니 물어보면
결단코 아니라고 하겠지

나는 이제 너를 이해할 수 있다

무심코 뽑은 타로 카드라든가
쥐고 싶지 않았던 손금이라든가

덥석 믿어버렸다가
돌이킬 수 없게 된 것들이 있다

하필, 왜, 어쩌다 같은 말들이
우리에게는 점점 무가치해지고

어제는 네 앞에서 펑펑 우는 꿈을 꾸었다
너는 무리한 부탁을 들은 사람처럼
곤란한 얼굴이었고

나는 네게 이해받기 바란 적
단 한 번도 없었으나

너는 항상 일 더하기 일 같은 것
꽃이 피고 또 지는 일 같은 것
이러해서 그러했다 같은 말

그 비대칭을 의심할 틈도 없이
여지도 의지도 마음도 없이
한 톨의 부정도 없이

나는 다만 아득해지고

저녁

쉽게 어수선해지는

변명도 사족도 없이 찾아오는 어떤 것들에 경외를 담아

올여름엔 시집을 많이 읽어야지 생각했다

편지지 로맨스

힘주어 쓴 이름에 평화가 깃든다
편지를 읽는 네 눈에 이채가 스친다

문장을 이루고 있는 것은
주어 목적어 같은 시시한 게
아니라

여러 겹의 기도나 기원
연약한 마음들
그래서 처절해지는 마음들

쓰는 일이 네게 닿는다면
읽는 일은 내게 쏟아진다

시선이 범람하는 종이 위
너는 어떤 행간에 머무르고 있을까
머무르기는 한 걸까

남북 방향의 고속도로인 것처럼

휙 내달려 버리는 것은 아닐까

조금 삐뚤게 쓸 것을 그랬나

고민하다 보면

너는 한 치의 의심도

없이

기뻐한다

문장을 쓰담는 손가락 끝이

가장자리에 머문다

애완활자라든가

반려문장이라든가

꼭 그런 눈빛으로 내려다본다

마음을 담아, 라니

정말로 담았어? 묻는 말

나를 곤경에 빠트리곤

너는 잉크처럼 웃음을 흘린다

알면서도 또 물어보는 거

내게는 너만 꼭 그렇게 하고

그래서 꼭 너만이 내가 펜을 들게 한다

다음번에는 이런 문장으로

시작하는 편지를 부쳐 주어야겠다

그런 생각을 했다

그럼에도 불구하고

봄이 조금 길었으면 하는 생각이 듭니다. 같이 걷고 싶은 마음에 날씨가 좋다고, 바람이 참 좋다고 핑계 댈 수 있는 날들이 많았으면 좋겠습니다. 이 카페는 밀크티가 맛있다며 한 잔씩 사들고 하루 일정에 대해 잡담을 나누면서, 슬픔을 마음껏 유예하고 싶습니다.

우리라는 말이 결국은 각자를 담보하는 단어라니요. 그 사실을 알았을 때 몹시 슬펐어요. 내가 누리는 게 규격 외의 사랑인가 하는 생각이 들 때도 많았습니다. 내게 과분한 사람들이 찾아올 때마다 실망하고 돌아서지는 않을까 걱정도 잦았습니다. 관계를 맺는다는 건 손쓸 수 없는 영역이라고, 그러므로 오고 가는 건 어떻게 할 수 없는 것이라고 오래 생각해왔습니다.

그래도 요즘은 '그럼에도 불구하고'의 아름다움을 조금 알 것도 같습니다. 오래오래 머무르는 사람이 되어주세요. 봄이 오래가면 당신들도 함께 있어줄 것만 같아서, 나는 자꾸 계절의 연속을 바라게 됩니다. 떠나는 것은 붙잡을 수 없음에도 꼭 한 번쯤은 손을 뻗게 됩니다. 사랑을 주는 것이든 받는 것이든 한쪽에만 익숙해지면 다른 쪽은 자꾸만 낯설어집니다. 우리, 부디 관성에 지지 말아요.

우리 마음대로 되는 것은 드물고 완연한 봄인 줄 알았을 때도 가끔 두꺼운 옷을 꺼내야 하듯이 도저히 알 수 없는 것투성이니까요. 사랑에만 집중하기에도 어지러운 봄인걸요. 때로는 마음껏 주고 때로는 원하는 만큼 받을 수 있게 살아요. 자유자재로 다정했다가 짓궂었다가 하자는 말이에요.

떠올리고 있으면 그리워지는 발걸음과
걸음을 돌리는 모습과
깜짝 선물 같은 날들
헤어지기 싫어 자꾸만 미루는 마음
지금이 끝나지 않았으면 좋겠다는 말들

슬픔을 희석해 주는 사람들과
그렇게 싱거워진 슬픔도 함께 나눠 먹는 사람들

삶 사람 사랑 살랑 같은 단어
다소 진부하므로 오히려 나날이 새로워지는 것들
쌓아둔 빨랫감이 흐너지는 것처럼 엎드릴 때도
그럼에도 불구하고 나는 당신들을 자주 생각했어요

나는 불면증 환자였는데

너는 께느른한 얼굴로 누워 있다
눈을 감고

비집고 들어가는 일이 내게는 어려워
품을 내어주는 법을 배우고 싶었으나
뒤척이는 게 더 쉬웠고
그러므로 자주 등이 닿았던 밤들

그 밤들을 건너 네게 가면
너는 그게 꿈인 줄 알까
조금은 더 솔직해질까

자꾸 숨소리를 늘리는 너와
네 눈꺼풀 안이 궁금해지는 새벽

말을 하려다 말 것처럼 너는
수마와 싸운 말썽꾸러기의 얼굴로
지쳐 잠든 고요함의 얼굴로

낮에는 수채화 같았다가
지금은 수묵화 같았다가
시선이 향하는 곳에는
울어버린 종이처럼 터버린 입술

미색의 그림조차 어둔 밤이 되면 검어지는데
하물며 우리는 저녁조차 보내지 못하면서
뜬눈으로 새벽을 지새라니
너는 잠든 와중에도 심술 맞구나

네 얼굴이 자꾸 보고만 싶어질 때마다
그러나 자꾸만 눈이 무거워지고

내가 말했지
잠과 사랑은 원하지 않을 때에만 찾아온다고
(그래서 너를 멀리해야 하나 생각하기도 했어)

향긋한 사랑

당신 손을 잡으면 조금은 더 걷고 싶어집니다. 약간은 더 멀리 떠나고 싶어지기도 합니다. 아주 얇은 유리잔을 쥐듯이 당신 손을 쥐면 깨어질 듯하던 떨림이 차츰 잦아듭니다. 한 잔의 허브티를 의인화하면 당신이겠거니, 생각했습니다.

손바닥 하나 분량의 따뜻함이 제가 겨울을 보내게 합니다. 한 움큼의 다정이 저를 살게 합니다.

당신과 하루 종일 있다가 헤어지면 제 옷에서는 당신 냄새가 납니다. 그러므로 잠깐의 분리조차 우리에게는 사랑의 연속입니다.

입었던 면 티에서는 당신 방 냄새가 나고 팔뚝에서는 당신 샴푸 냄새가 납니다. 오랫동안 같이 있었구나. 나 당신이랑 꽤 오래 붙어 있었구나. 그런 생각들을 합니다. 누워서 했던 이야기를 떠올립니다.

내 생각이 날 때마다 화분에 물을 주었더니 뿌리가 썩었다는 이야기. 아주 슬펐지만 조용히 울었다는 이야기. 나도 그렇게 되어버리면 어떡하냐는 걱정들. 나를 보고 만질 때면 괜히 조심스러워진다는 고백들.

　그러나 당신은, 내게만큼은 무해하므로……

　나도 당신에게는 항상 닿기 어렵다는 말. 당신은 한철 잘 가꾼 허브의 향이 나는 사람. 목덜미에 가만히 코를 대고 있으면 날뛰던 불안도 캄캄한 걱정도 숨을 죽이게 하는 사람. 들뜬 사람의 슬픔을 누구보다 잘 아는 사람. 웃을 때면 달그락거리는 찻잔이 생각나는 사람.

　언제부터인가 나는 겨울마다 당신에게 빚지고 있고 추위나 슬픔 따위는 혼자만의 것이 아니게 되었습니다. 나는 따뜻하게 지내고 있습니다. 그러니 항상 잘 지내세요. 잘 입고 다니세요.

불면의 원인에 대하여

당신에게

갑자기 날이 추워졌어요. 감기에 걸리지는 않았나요? 원체 질병과는 거리가 먼 몸이라 자부하던 당신이었지만 때때로 돌발적인 추위가 건강을 해치기도 하니까요. 요즘도 책과 영화를 가까이하나요? 부디 그랬으면 해요. 나는 당신의 사뿐한 언어와 무거운 사유를 동경했으니까요. 대화하고 있다 보면 저절로 따뜻해지는 기분이라 좋았어요.

차가운 제 몸이 쌀쌀해질수록 미워져요. 여름에는 제법 시원해서 좋았는데 이제는 그렇지 않아요. 그 어느 때보다 기대고 싶어질 때에 스스로에게조차 의지할 수 없다니요. 며칠 전에는 두꺼운 옷을 꺼내 입고 좋아하는 향수를 뿌렸어요. 목적지가 사라진 미련이 분사됐다가 얼마 안 가 옷에 달라붙어요. 옷에서 그리움의 냄새가 나요. 당신이 이 말을 들었으면 무어라 했을까요. 아마 장갑을 나눠 끼고 걷자 했을 거예요. 억지처럼 들려도 조금은 너그럽게 봐주어요. 내가 아는 당신이라면 저 말밖에 할 수가 없으니까. 당신의 낭만은 언제나 내 불면의 원인이었어요.

그래서 당신한테 미안하다는 말을 들었을 때만큼 비참했던 적이 없어요. 그때는 더웠는데 지금은 춥네요. 아직도 어깨에는 손의 감촉이 있어요. 건조한 얼굴로 거리를 걷다 보면 눈물이 맺혀요. 요즘도 미안하다는 말을 자주 하나요? 쉽게 미안해지는 나날 속에서 가끔은 내 생각도 하나요? 같이 봤던 영화들의 제목을 기억해요? 명장면을 보면서 어떤 얼굴을 했는지, 사운드트랙을 들으면서 어떤 이야기를 나눴는지 기억해요?

자꾸만 질문이 많아지는 건 듣고 싶은 말이 많다는 거예요. 이젠 물어볼 때가 아니고 묻어둘 때인데. 모쪼록 평화를 빌어요. 말이 쓸데없이 길어지는 것은 아무래도 당신 때문이니까 이 지루하고 무쓸모한 글줄을 꼭 아껴 주셔야 해요. 목도리를 둘러줄 수는 없으니 따뜻한 문장이라도 둘러 드릴게요. 바늘 끝 같은 나날에서도 부디 무사한 날을 보내셔야 해요.

그 모든 몰이해를 뚫고

W에게

밖에서는 바람이 모든 걸 쓸어갈 듯 부는데 이상하게 내 방은 조용해. 덩달아 내부로 침잠하는 마음들. 이건 함께 가라앉아 수장될 편지. 네게 쓰는 글들은 항상 서간의 모양새를 하고 있어. 오로지 활자를 통해서만 솔직해지는 내가 웃기지?

나는 나를 잘 알고 있다고 믿어 왔는데, 네가 말해주고 나서야 알게 된 것들이 몇 개 있어. 내가 몰랐던 나의 습관들, 이를테면 집중할 때 내 표정 같은 것 말이야. 조금 보기 싫을 수도 있었겠지만 네가 말해준 탓에 괜히 더 애틋하게 느껴져서.. 고칠 마음도 들지 않아. 나를 발견해 주어서 고마워. 비로소 조금은 선명해진 내가 보여.

넘칠 듯한 마음에서 한 스푼 덜어낸 만큼. 이제 딱 그만큼만 너를 사랑하기로 했어. 물러날 곳이 없는 마음은 너무나 절박해서 자꾸만 잘못된 판단을 하지. 나는 그것을 여러 번 아프고 나서야 알았어.

그럼에도 나는 여전히 네가 보여준 다정 덕분에 살고 있어. 때로는 너를 죽도록 미워하고 싶은 적도 있었지만, 그런 순간조차 더없이 사랑이었을 거야. 나는 그런 생각을 하면서 네 머리맡이 놓여 있을 만한 쪽으로 누워. 쏟아버린 사탕을 줍는 마음으로, 넘쳐버린 물을 닦아내는 마음으로.

모든 삶은 몰이해의 연속이고 모든 사랑은 개연 없음의 집합이지만, 그래서 언젠가 모든 게 부질없다 생각하기도 했지만.. 너와 눈을 맞추고 싶은 건 변하지 않았어. 어쩌면 너는 가끔씩 내 유일한 이해자가 되었을지도 몰라. 네게 어떤 의미로 남고 싶어.

확신 없는 나날에서도 네 눈동자를 떠올리며,

윤으로부터.

삐뚤삐뚤 끄적끄적

어떤 일을 하며 지내시나요?

저는 별다를 것 없는 일상을 보내고 있어요. 감기에 걸렸다가, 나았다가, 덜 나은 목으로 노래도 불렀다가, 다정도 했다가 짓궂기도 했다가 하면서요.

얼마 전 내린 첫눈에 팔짝팔짝 뛰며 기뻐하기도 했어요. 함께 있던 사람들과 괜히 더 웃게 되던 날이었고 필름 카메라의 플래시가 연이어 몇 번씩 터지기도 했어요. 춥다는 말을 입에 걸어 놓고서도 들어갈 생각은 않는 얼굴들이 새삼 발칙하게 사랑스러워서 과분하게 즐거웠던 날이었지요. 삶은 자주 슬프고 종종 우습기도 하지만, 가끔 있는 이런 일 자체로 제법 유의미한 것 아니겠어요?

큰 결심도 하나 했어요. 사용하던 SNS 의 계정을 탈퇴했거든요. 어떤 의미를 찾고 싶어서 한 것은 아니고요, 마음을 써야 할 곳에 더 쓰고 싶어서 홧김에 없애버렸어요. 일상이 궁금해지는 사람들에게는 항상 닿아있기 위해 부단히 노력해야죠. 소매 끝을 붙잡듯 조심스럽게요. 뿌리치지만 말아달라는 말이에요.

잠깐 찾아온 열감에 옷을 얇게 입지 말아요. 어떤 추위도 뚫을 수 없는 마음이 있다지만 우리는 몹시 연약하잖아요. 다시 눈이 내리면 따뜻하게 입고 나와요. 눈 쌓인 차창에 함께 낙서를 해요. 휩쓸려 지워지는 것보다는 녹아 흐르는 게 좋아서 모래보다 눈에 끄적이는 게 더 즐겁더라고요.

사랑이라는 단어가 머리에서 쉽사리 떠나지를 않는 요즘이에요. 사랑을 하고 있나요? 다정은요? 모쪼록 좋은 것만 곁에 두고 지냈으면 좋겠어요. 가끔은 알아볼 수 없게 삐뚤빼뚤해도 꼭 알아주세요. 끄적인 마음도 마음이잖아요. 타인의 혹한 같은 악의와 스스로의 극야 같은 슬픔에 다치지 말아요. 춥지 않은 겨울이 되면 좋겠어요.

호기심의 얼굴로

당신이 궁금합니다. 알아도 아는 것 같지 않아요. 여전히 많은 게 의문투성이예요. '조금 더 알아가 보자'는 말이 제게는 수많은 고백 중에서도 가장 낭만적으로 들려요.

누워 있다 보면 아름아름 떠오르는 저해상의 기억들이 있어요. 우리는 모든 것을 반추하며 살아가요. 심지어는 무언가를 잊었다는 사실조차도 곱씹으면서. 내게 가장 두려운 일은 무지無知. 생을 이어 붙이기 위해선 끊임없이 어떤 것을 알아가야 해요.

그러니 내가 당신을 궁금해하는 일은 어쩌면 삶과 맞닿아 있을지도 모르겠습니다. 외로움이 비대해지고 불안이 슬금슬금 발치에 다가올 때마다 이제는 당신 생각을 합니다. 내가 아는 부분과 미처 알지 못한 부분. 겨울을 좋아한다 그랬지. 겨울에 먹는 아이스크림도 좋아할까. 제철 음식을 좋아한댔는데 요즘엔 어떤 게 먹고 싶은지. 당신은 내 어떤 부분을 궁금해하는지. 내가 좋아하는 향 얘기를 했었나. 다음번에 만나면 은근히 티 내야겠다. 그러다 보면 자연스럽게 며칠 뒤 약속을 기다리게 됩니다. 다음 주 주말의 일정을 알고 싶어집니다.

당신에게는 항상 미지의 부분이 생기고 그러므로 나는 매일매일 궁금해집니다. 좋아한다던 풍경을 보러 갈까요. 거기 앉아서 이야기를 좀 나눠요. 당신은 나를 잘 알고 있나요? 가끔씩 모든 걸 놓아버리고 싶을 때 나를 궁금해해줬으면 좋겠습니다. 내가 어렵다면 우리를 둘러싼 것들 중 가장 단순해질게요.

　우리 조금 더 알아가 볼까요.
　당신에게 무궁무진한 사랑의 가능성을 느낍니다.

　호기심을 담아.

언제나 한 발짝

계절은 항상 사람보다 먼저 움직인다
우리가 찾아갈 수는 없지
무력하게 누워서 찾아올 완연함을 기다리는 것밖에

그럼에도 봄은, 여름은
탓할 생각도 않는 것처럼
항상 그랬듯 내 손을 잡으러 오고

능동태의 사랑
오랜 기다림이 지나고 찾아온
언어의 무게로는 감당하지 못할 사랑
그래서 자꾸만 마음이 쏟아지고 기울어지지

봄에는 겨울이 그리워지고
여름에는 봄이 가을에는 여름이
다시 겨울에는 봄이 그리워져서
그렇게 어떻게든 한 해를 살고

내 열두 달은 그리움의 연속

그러니까

내 삶은 켜켜이 쌓여 온 노스탤지어

며칠 전만 해도 온갖 색채를 모아놓은 듯하다가

어느새 초록이 훨씬 많아진 거리를 걸으면서

억지로 기워 붙인 것처럼 보여도

제법 견고한 내 삶의 방식과

이제는 모든 계절이 좋다고 생각하게 된 4월의 초입

본문보다 추신이 길어

W에게

마음이 제법 소란스러운 날이야. 이런 날에는 네가 조금 멀어진 것 같아. 너는 별생각 없겠지만 그냥 그런 기분이 들어. 그래서 무작정 너한테 편지를 써. 오늘 진짜 쌀쌀하다. 이제 정말 겨울이야. 같이 겨울을 보내게 되어 기뻐. 추위를 핑계 삼아서 조금은 더 애틋한 말을 해줄 수 있겠다.

'사랑해'는 사실 '너와 함께면 죽을 수도 있어'라는 뜻이라며 잘못 해석해 둔 외국인의 글을 본 적이 있어. 어이없고 귀엽지. 넌 어떻게 생각할까 궁금하다. 아마 너는 그게 왜 그렇게 되냐고 묻겠지. 그러면 나는 옆에 누워서 네게 주저리주저리. 네가 내 말을 가만히 들어줄 때마다 내가 무엇이라도 된 기분이 들어. 그럴 때마다 네 침묵과 함께 고요히 눈을 맞추고 싶어져. 너는 타고나기를 다정한 사람이지? 무언가 말하려다 삼킨 사람의 얼굴을 네게서 볼 때마다 그런 생각이 들어.

있지, 나는 널 위해 죽어줄 수는 없지만 죽기 직전까지 같이 아파 줄 수는 있어. 비슷한 때에 씻은 듯 나아서 함께 동트는 창밖을 볼 수도 있어. 이것 네게 사랑으로 읽혔으면 좋겠다. 이 문장들만큼은 조금 오역되어도 좋을 것 같아. 오늘은 여기까지 써야겠다. 답장은 안 해도 돼. 우리 못 본 지 꽤 됐네.

네 목소리를 기다리며,

윤으로부터.

추신.

사실 네가 정말로 원한다면 함께 죽어줄 수도 있을 것 같아.

보고 싶어.

1. 손과 손을 마주잡다

'손잡다'를 붙여 쓰는 게 너무 다정해서 아득한 기분이 들었어. 조금의 틈도 허락하지 않을 것처럼 깍지 낀 손을 닮았다고 생각했어. 우리말은 이렇게나 단단한데 내가 쓰는 말은 왜 죄다 툭하면 부서질 것만 같을까. 네가 나를 바라보는 눈은 꼭 새까맣고 단단한 흑연 같아서 시선을 따라 내 몸에도 궤적이 남을 것 같았어. 꾹꾹 눌러 적은 글씨처럼 지워도 흔적이 남을 것 같았지. 쳐다보는 것만으로 편지를 받는 기분이 뭔지 알아?

최근에는 국어사전을 자주 뒤져봤어. 그중에서도 우리를 규정할 말이 없다는 게 또 슬펐어. 나는 네 생각을 할 때마다 기뻐졌다가 미안해졌다가 미워졌다가.. 네게 할 말이 많아. 전하고 싶은 문장도 정말 많아. 그러나 때로 표현하지 않음으로써 완결되는 게 있지. 너도 알 거야. 서로 삼켜 버린 것들과 씹어 넘긴 것들을. 끝내 배앓이를 했던 그 시절을. 뱉지 못해 계속 머금고 있던 시절을.

너는 꼭 은유를 닮아서 몇 번이고 곱씹어야 이해되는 문장이었지. 내가 쓰던 글은 네게만 닿으면 졸작이 되었고 그러므로 너는 절창이었지. 어떤 단어는 너무 노골적이어서 싫다는 네 말이 기억나. 네

앞에서 말을 고르던 내가 기억나. 자꾸만 주저하는 나와 그런 나를
가만히 보던 네가 기억나.

나랑 여기 있자.
사랑, 사랑만 빼고 다른 모든 걸 하자.

그게 무슨 뜻이냐고 네가 물으면 어쩌지.
무슨 뜻이면 좋을 거 같냐 되물어야겠다.

실족애

안락한 밤을 꿈꾸는 것도 안 되나요
묻는 내 말에

너는 차라리 너를 닮은 악몽을 꾸라고 했다

높은 데서 떨어지는 꿈을 꾸면 키가 큰댔지

그래서 네가 추락하는 꿈을 꾼 날
내 옆에는
조금 자란 것 같은 우리 사랑
캄캄하게 잠들어 있는 너

손을 대며 네 키를 가늠하면
심장은 여기겠구나
마음은 거기겠구나

네 얼굴에 내재된 구원
그 아득한 이목구비를 바라보며

나는 가끔 네가 어디서 왔는지 고민한다

발을 헛디딘 사람처럼 손을 뻗으면
만져지는 것은 네 얼굴의 능선

사랑, 누명 같은 사랑이 덧씌워져 울다가
이제 조금 안도해도 될까

어떤 눈매는 쓰다듬는 손길을 닮았다

안부글

어제는 당신의 안부를 물으려다가 말았습니다

붙였다가 뗀 스티커 자국과
자른 지 오래된 머리와
방치된 교통 표지판
손금의 끄트머리에서 달려나가는 삶

허리가 끊어진 시간 동안
이런 것들을 내보이며
쓸모없는 일에 열중하고 있어요

나는 소란한 정적을 살아요
정적 같은 찰나를 배회하고 있어요
차도로 무언가 빠르게 지나가요
밤에는 작은 소리도 크게 들리고
나비의 꿈을 꾸고 있어요

오늘이 어제의 퇴고본이라면

교정 교열이 엉망진창이네요

하며 당신이 웃겠어요

추가된 문장이

먼 곳에서도 읽히나요

보내드린 새벽 세 시는 잘 받았나요

내 사랑은 무사한가요

저는 아무런 탈없이 생을 삼키고 있답니다

부디 나와 같다는 대답을 해주세요

뭉뚱그려서 보고 싶다는 말

보고 싶었다는 말이 아니라
보고 싶다는 말을 해야 했던 날들이 있어요

언어의 틀을 벗어난 무언가를 전하기 위해
나조차도 어떤 것에서 벗어나야 했을 때

강박 같은 낮을 보내고
속죄 같은 새벽에도 깨어 있어야 했을 때

내가 알던 사실들이 무너지고 깨어져
쓰던 말을 잊어버렸어요

이때까지 이런 것들을 무어라
불렀던 것 같기도 한데

가물가물하게 흐려지는 기억과
부를 말이 마땅히 존재하지 않는 마음들

뭉뚱그려 사랑이라 하기로 했어요

그렇게 부르다 보면 사랑이 되리라 믿어요

그리움의 과거형은

눈앞의 사람만이 갖는 시제예요

보고 싶다는 말은

현재가 가장 슬퍼요

수상할 정도로 날이 좋아요

이 정도 어리광은 넘겨주셨으면 해요

추신.

어디로도 도망가지 못하고 있어요

한여름 고해성사

곳곳에서 계절의 단서를 발견합니다. 계단 아래로 내려다보이는 넓은 운동장과 캐치볼을 하고 있는 얇은 옷차림의 연인과 소음이 들림에도 왜인지 모르게 고요한 정경, 트랙을 따라 걸어볼까 싶다가도 눈부신 햇빛에 발걸음을 빨리하게 되는 제가 있어요. 이곳에는 차츰 더위가 내려앉고 거리는 온통 초록이에요. 나는 이 모습이 좋아요. 성큼 다가온 여름을 사랑할지도 몰라요.

햇빛이 우리를 조금씩 그을리면 덩달아 마음도 달궈질까요. 너무 뜨거워서 뱉어낸 마음만이 비로소 사랑이 되는 걸까요. 그런 마음만이 여름을 닮은 걸까요. 나는 여름의 면면을 알고 있어요. 폭염 같은 마음이 있으면 피서 같은 마음도 있을 거라 믿어요. 발치에서 미풍이 살랑이는 것처럼 꼭 그게 사랑인 것처럼. 우리 서로에게 낡은 선풍기처럼 오래도록 사랑받은 흔적을 남겼으면 좋겠어요.

나는 당신들을 떠올리면 한여름밤 맥주 한 캔 하자는 말을 들은 것처럼 속수무책이 되고 말아요. 같이 무엇을 하자는 말만큼 다정한 말이 또 어딨을까 싶어요. 나는 당신들 앞에서 자꾸만 무장해제

가 되어 버리고 자꾸만 무언가를 내어주고 싶어져요. 그 무구한 다
정을 마주하고서 이 한철을 가난하게 보내도 좋다는 생각이에요.

열대야에 순순히 이불을 떠넘겨 받는 마음으로
조금 더워도 품을 내어주는 마음으로

우리 그런 마음으로 살아가요.
많은 여름을 함께 보내고 싶다는 뜻이에요.

수면등

추운 마음을 잘 알 것만 같아서
당신 앞에서는 약한 소리만 하게 된다

내가 곁에 있었을 적에 당신은 자주 웃었고
비슷한 빈도로 자주 울었고 상처 입었고 흉이 졌고
그래서 나는 죄를 지은 얼굴로 사랑하곤 했다

밖에서부터 몰고 온 바람 냄새와
붙잡아두고 싶은 기척

손을 몇 번 쥐었다가 폈다

그날따라 당신 얼굴에 꼭 햇빛을 가둬놓은 거 같아서
그 교교한 얼굴에 덧붙일 말도 털어낼 마음도 없어서

손가락에 손가락을 걸었다가
목에 팔을 걸었다가
마음을 걸었다가

걸면 안 될 것까지 걸고 싶었다

그럼에도 낯빛은 여전히 해석 불가능
빈번한 오독과 덧대어지는 수사 사이에서
그럴듯한 예언처럼 당신이 고요해진다

눈이 녹으면 꼭 떠날 얼굴을 하고서

그러니 밤이 끝날 때까지만 함께 있어

서로에게만 비밀이 아닌

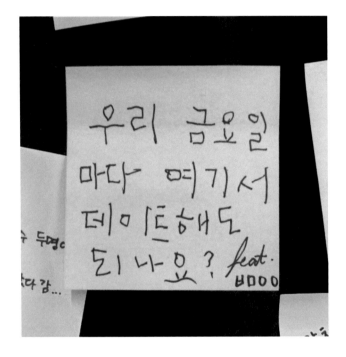

　예전에 학교 근처 독립서점에 간 적이 있어요. 보고도 쉽게 지나칠 만한 작은 문을 열면 지하로 통하는 흰색 계단이 늘어서 있는데요. 조심히 따라 내려가면 막 넓지는 않지만 아늑한 공간이 나와요. 진열대 위에는 수많은 문장들이 가지런히 누워 있고 구매한 책을 읽을 수 있는 테이블도 있더라고요. 하지만 제일 눈에 띄었던 것은 한쪽 벽에 걸려 있던 커다란 블랙보드였어요. 거기 적힌 질문에 다녀간 손님들이 나름의 대답을 써 붙이는 용도였는데, 아마 '사랑이 무엇일까요?'나 '사람은 무엇으로 사나요?', '사람과 관계에 대해서 어떻게 생각하나요?' 같은 질문이었을 거예요.

거기 붙어 있는 포스트잇을 하나하나 읽는데, 유독 제 마음을 건드리는 게 하나 있었어요. 삐뚤빼뚤한 글씨에 초성으로 적어 놓은 본인의 정체. 절로 호기심이 들어 오랜 시간 동안 들여다보았고 사진도 찍었어요.

'우리 금요일마다 여기서 데이트해도 되나요?'

조금은 어색해 보이기도 하고 또 어딘가 다정해 보이기도 한 문장이었어요. 만난 지 얼마 되지 않은 연인이 붙여두고 간 걸까요? 주변 사람들에게 들키면 멋쩍으니까, 글씨체도 알아보지 못하게 왼손으로 적어 붙여두고 간 게 아닐까요? 둘만 알 수 있게요. 정해진 시간에 정해진 장소에서 몰래 사랑하는 밀회 같기도 해요. 오른쪽 밑에 초성으로 적혀 있는 건 무슨 뜻일까 고민하다가 '비밀이야'라는 말은 아닐까 싶었어요. 처음부터 끝까지 낭만적이지 않나요.

저 쪽지를 쓴 연인은 금요일마다 서점에서 만났을까요? 어쩌다 저런 생각을 했을까요? 서점 주인에게 묻는 것일 수도, 함께 온 애인에게 묻는 것일 수도 있는 저 말이 제삼자인 내게 이렇게 인상 깊게 남을 일일까요. 아마 단어 하나하나에 붙어 있는 애정과 사려 깊음 때문이지 않을까 생각했어요. 우리, 금요일마다 만나요. 책장 사이 숨겨진 공간 같은 이곳에서 만나요. 남들 모르게. 다른 사람들은 신경 쓰지 못하게, 신경 쓸 수도 없게. 그런 짓궂은 배경이 손바닥 하나만 한 포스트잇에 담겨 있기 때문일 거예요.

우리도 우리만의 비밀 암호 같은 사랑을 해요. 왼손으로 쓴 글씨 같은 사랑. 삐뚤빼뚤해서 우리만 알아볼 수 있는 사랑. 포스트잇에 적어주면 나는 그걸 방에 붙여두고 오래오래 볼 거예요. 서로에게만 비밀이 아닌 그런 이야기들을 해요.

현기증

날 위해 무얼 해줄 수 있냐는 물음에 너는 내 눈을 봤지 고요히 휘어지는 한 쌍은 어떤 대답이라도 될 수 있다

나의 영악한 사랑
너는 언제나 제대로 대답하지 않는다
너는 나를 불안하게 하는 가장 확실한 방법

너를 보고 싶어 하다가 망가진 밤을 기우며 운다 네 목소리가 들리는 듯하다 결자해지라는 말이 있지 내 새벽을 망쳐놓은 게 너이므로 네가 대신 내 새벽이 되어야겠다 그런 일은 꼭 너밖에 하지 않으니까 너밖에 할 수 없으니까…

너는 도무지 멈춰 있는 법을 모르는 사람 같아 그런 게 사랑일까 네 사랑은 비정형의 무언가 어떤 날에는 자늑자늑한 웃음 다른 날에는 아껴 듣던 노래 한 소절 그런 게 사랑이라면 너만큼 변화무쌍한 마음도 안하무인으로 구는 애정도 없을 것이다

격정은 언제나 너의 얼굴을 하고 있었고 도저히 읽을 수 없는 표정은 빨리 감기 버튼이 눌린 영화 같다

너는 시시각각 변하고 그러므로 나의 사랑은 멈춰있지 않다

마음 주기의 방식

사랑받기를 원하지 않는 것처럼 굴다가도 다정한 말 한마디에 그날
일기장을 채우는 것

저물어갈 줄 알았으나 백야 같은 마음만 있었고
빼곡한 노트를 닮은 공상이 자꾸만 기록되고

사랑이 무얼까 나누던 대화

좋아하는 것들을 떠올리면 그 말처럼 그저 좋기만 한데
사랑하는 것들은 떠올리면 좋았다가 고마웠다가 미안해진다는 말

그러면 나는 사랑에 너무 헤픈 걸까 싶고

머지않은 미래든 먼 미래든 자주 볼 수 없게 될 것 같을 때

어떤 결말은 우리를 너무도 닮아 있을 것만 같은 예감
나는 그것조차 사랑인 줄 알겠지

게으름뱅이의 초상

안락함을 흉내 내는 직방형
그 위에 졸음이 나긋하게 내려앉는다

한낮의 빛살이 이불을 달군다
먼지들이 조용하게 떠다닌다

익숙한 냄새가 나는 외피 아래
고개를 파묻고

어째서 평화는
네 얼굴을 하고 있는지에 대해서
생각한다

이렇게나 실패한 권태는 쓸모없어
라고 말할 것처럼
발화 직전의 침묵이 왔다가

조금만 더 이러고 있을까

하는 음성만이 나른하게 무너진다

하나 둘 셋

카메라를 드는 사람은
사진에 나오지 않습니다
다정한 소외라고 생각할 때쯤
너도 찍힐래, 묻습니다

손가락 마디 사이에 그어진 금처럼
가까이 들여다봐야만 보이는 선을 생각하며
고개를 두어 번 젓습니다

모든 사람에게는 저마다의 슬픔이 있다
그런 생각을 하며 눈을 맞추다 보면
서로가 카메라처럼 느껴집니다

그러다 보면 장난처럼 찾아오는 사랑과
햇빛이 이렇게 좋았나 하는 들뜸 같은 것들
최초의 슬픔 따위는 아무것도 아니게 하는

그래,

그런 게 필요하다고 생각이 드는 어느 한낮

셔터가 빛을 담아내며 깜빡입니다

안녕

헬로우인지 페어웰인지 모를 얼굴로
기도문처럼 뱉고 나면

지금보다는 나아지리라는 믿음,
쓸모없는 믿음

그럼에도 우리는

술처럼 머금었다가
한숨처럼 뱉고

미신처럼 지녔다가
부적처럼 건네지

당신 평화에는
두 음절만큼의 지분이
내게 있어요

담보하는 말

그런 말을 따라서
당신 삶에 은근히
팔을 걸쳐두고 싶은 마음

하이 코드 러브

눈이 부시게 눈이 부시게 태양은 햇무리를 만들고 풍경을 닮은 전주가 흘러나오고 응, 이 노래를 꼭 듣고 싶었어… 하는 목소리와 나중의 일을 꼭 한 번은 생각해 보게 되는 가사 자꾸만 찡그리게 되는 낮과 같은 산책로를 맴돌게 되는 밤 꽃들이 진 자리가 무덤 같아 보일 때 나도 그곳에 눕고 싶다는 생각을 한다 같은 노래를 들으면 같은 아득함을 느끼는 사람이 좋다 음계가 쌓아 올려지고 무너지고 다시 조립되었다가 해체되었다가 하는 방식이 우리를 닮아 있는 것 같아 그걸 반복해서 들었다 일렉 기타의 줄이 튕기는 소리 너와 안개 낀 골목을 걸으며 이 노래를 들으면 참 좋겠다 하는 생각 나도 한 번쯤은 작사를 해보고 싶고 거기 쓰인 단어들은 온통 너를 닮아 있으려나 하는 생각 기타 코드를 잡듯이 네 손을 잡으면 언젠가 우리 사랑에도 굳은살이 생길까 그러면 조금 덜 아프고 더 능숙하게 될까 그러면 너는 어떤 음색으로 노래하려나 반주 같은 마음에 맞춰 어떤 말을 가사처럼 늘어놓으려나

Ⅱ. 나는 너를 영원히 영원해

서투름보다 더 서투른

결함이 많은 사람과 그러므로 오역이 많은 사랑

걷어차고 걷어차이고를 반복하는 청춘

나와 나의 삶을 설명하는 짧은 문장에도

수십 번씩 수백 번씩

어쩌면 수천 번씩 오르내리는 위태로움

서투른 것과는 조금 다른

그러니까 왼손을 쓰는 오른손잡이보다

손을 다친 도공에 더 가까운

얕게 진동하는 신체와

그보다 조금 더 큰 진폭으로 흔들리는 목소리

나를 보는 눈과 내 속내를 읽는 눈을 자주 헷갈려 했으므로

자꾸만,

왜,

도저히,

같은 말들만 늘어놓을 수밖에 없었고

죄를 짓는 기분이 들었고

해야만 했던 말과

해서는 안 됐을 말 사이에서

자주 갈팡질팡했다

유언 같은 변명이 자꾸만 늘어갔다

햇빛은 모든 것을 낡게 하지

날씨가 좋을 때면 우리는 몇 배 빠르게

아주아주 빠르게 낡아가는 거야

태양은 우리를 과거의 것으로 남겨두고 말 거야

그래서 빛바랜 필름처럼 살고 싶다는 말이니

잘못 현상된 사진처럼

햇빛에 타버려 알아볼 수 없는

누군가를 찍었다는 사실만 남은 사진처럼

살고 싶다는 말이니

묻는 말에 나는 멀거니 하늘을 보며

찢어지는 구름을 보며

저것 봐, 서쪽 멀리까지 닿을 것 같던 구름도

햇빛을 견디다 못해 조각나고 말잖아

다쳐도 금방 아물 것 같던 저 구름마저도

초보 기타리스트

뮤트를 할 때에는
살짝 가져다 대면 된댔나

상냥하게 얹힌 손가락에서
사뿐한 침묵이 흘러나온다

나는 기타의 목을 틀어쥔 당신 손을 보다가
아름다운 것들에서도 폭력을 보는 나를 보다가

원래 소리를 내지 않는 것이 더 어려워
하는 당신의 말을 들었다

그 문장과 함께 따라오는 고요가 좋아서
세상에 당신 목소리만 남겨두고 싶었던 적이 있다

그래서 언젠가 더 이상 듣지 않아야겠다
당신 모르게 마음먹었을 때

음소거가 필요해 손가락을 가져다 댔을 때
한나절을 멍든 과일처럼 울었다

깨달은 것은 결국
가느다란 손가락 하나로도
삶이 움푹 들어갈 수 있다는 사실

벌새의 날갯짓을 닮은 생애가
별안간 잠깐 멈추었다가
이윽고 다시 포르르 떨린다

여운보다는 조금 더 꼴사납고
잔음보다는 조금 더 거슬리는 것이
하루의 끄트머리에 항상 달려 있었다

낙조가 고개를 떨군다
사위가 주홍빛으로 아슴아슴 물든다

소리를 내지 않는 것이 더 어려워
마디 하나가 길게 늘어진다

문장 말미마다 항상 남겨 두었던

그 여지를 당신이 알아챘으면

풍랑주의보

누워서 여러 가지를 가늠한다

마모되던 신발 밑창이 지금은 어느 모양일지
깎여 나가던 모습이 해안 절벽과 비슷할지
똑같이 닳았는데 어느 것은 버려지고 왜
어느 것은 명소가 되는지

버려지고 품어지는 것들의 차이를 알고 싶었다
바다 근처에 사는 사람은 닳고 닳으면 반들거릴까
아니면 깨어진 바위 같을까

네 눈은 바다구나
그래서 그렇게 까마득했구나
그래서 빠져 죽고 싶었던 거였구나

매끈한 사랑을 원했지만
받아먹었던 것은 부서진 파도 몇 조각과
떨어져 나온 돌 부스러기였다

그칠 수 없을 것 같은 울음은 시작조차 않았으나
너는 나와 눈을 마주치는 일이 잦았고
이상하게 너만큼 속이 훤한 위로도 없었다

네 눈동자와 추위로 발개진 살갗
찬란히 찢어지던 바다
모든 게 차츰 투명해지던 그 해 겨울

절벽 끝에 선 마음으로 네 눈을 보고 있노라면
풍화된 사랑이 몇 번 자맥질하다 가라앉았다

기록적인 강추위가 있을 것으로 예상됩니다

화창한 여름날 보고 싶은 사람이 있고 하고 싶은 일이 있다는 게 얼마나 좋은 일이야 하며 웃는 당신이 아직도 악몽처럼 떠올라요

얼른 추워지면 좋겠다는 말 무언가를 단단히 껴입고 싶다는 말에 당신은 충분히 긴 여름이 있어야 충분히 추운 겨울이 온다고 했고 나는 이을 말이 없어 가만히 바라만 봤어요 내 눈에서 당신은 지친 사람을 보았나 햇빛에 녹아버린 이를 보았나 아무 말도 없이 등을 쓸어주는 것은 당신의 다정이라 그 해 여름이 자꾸 더워졌어요

보고 싶은 사람이 있고 하고 싶은 일이 있던 계절 그 좋은 시절을 구석에 박아둔 채 자꾸만 골몰하는 시간이 늘어 갔어요 기쁨 그리움 청춘 푸르름 같은 단어들이 미워졌어요 그때의 나를 이루고 있던 건 설움이었나요 미움이었나요 채 익지도 않아 떫기만 한 사랑이었나요

슬픔의 외곽선을 따라 파랗게 파랗게 번져가는 마음 나조차도 종잡을 수 없는 마음 우리가 할 수 있는 것은 눈을 맞추는 일밖에 없

었지만 발걸음을 재촉하던 모습이 아직도 선명해요 걸어가던 뒤통수에 대고 소리치고 싶었어요

막막할 정도로 짧았던 그 시절 나는 몇 번을 오르내렸는지 왜 아직도 가끔 철렁이는지 당신 이름과 닮은 단어를 자꾸 의식하게 돼요 무성한 나뭇잎 사이로 그때처럼 태양이 쏟아져요 낮이 길어요 지루할 정도로 너무 길어요 애초부터 서로의 것이 아니었다고 생각하면 잠깐 편해졌다가 도로 슬퍼져요

이번 겨울은 특히 더 추울 것 같아요 예상되는 슬픔만큼 나를 무력하게 만드는 것도 없어요 이런 식으로 길어지는 여름은 원하지 않았는데

이 불우한 마음을 당신은 언제까지고 모른 척할 걸 알아요

당신은 가시지 않는 더위인가요 좀처럼 떠날 생각 않는 열대야인가요

잠 못 들어 뒤척인 밤이 셀 수도 없이 많아요

외톨이식 고백

너는 그냥 운이 없었던 거였고
그래서 내게 다정했던 거였고
라는 문장으로 시작하는 오전

체념을 닮은 얼굴이
길쭉하게 누워있다

기침을 할 때마다
명치가 아팠다

꼭 참을 수 없게
터져 나오는 것들은
나를 아프게 한다

구름이 무너지고 있다
어제부터 오늘까지
어쩌면 내일도

흐린 날씨는 언제나 나를
궤도에 올려 두었다가 추락시키고
밖은 캄캄한 어둠이었다

이 겨울이 너무 잔인해
너무 잔인해
나는 속으로만 몇 번 울었다

누군가에게 뒤채는 것들이
내 영혼에게는 갈급한 것이고

자꾸만 열이 오르는
이마와 뺨과 생각과 마음

함부로 나돌아다니는 것조차
그러니까 네 방종조차
내게는 사랑이었으므로

차갑게 식은 손바닥
내 뺨에 가져다 대주면

한 번은 봐줄게

라는 말로 끝을 맺는 새벽

존재론

연인들은 빈번하게 서로를 확인하고
확인시켜준다
여기가 네 뺨
여기는 내 입술

생후 몇 개월의 아이가
촉감놀이를 하듯
여기는 쇄골 여기는 귓불
딱딱했다가 물렁했다가
어디는 거칠었다가 또 어디는 보드라웠다가

동그란 뒤통수를 쓰담다 보면
마음은 한여름 잔디처럼 자라다가
손톱처럼 깎이는 무엇

연인들은 번번이 예감하고 예비한다

손톱을 깎기로 결심한 그 순간에도

부지런히 자라나고 있을

어떤 끝에 대해

혼자 누워 그런 생각을 하다 보면

스쳐 지나갔던 모든 것들을 위해

무릎을 꿇고 싶어진다

마음을 주는 일에 무감해지고 싶지 않았다

무신론자의 기도

들어줄 이가 없는

그러므로 더욱 절박한

당연한 너무나 당연한

네가 시간처럼 오리란 것을 안다

그런 문장을 쓰고
슬퍼져 잠깐 울었다

밤이 가지 않을 것만 같은 기분이 들어서
그래서 조금 두려워졌고
당연한 것과 당연해야만 하는 것을 구분 지었다

변변찮은 천성과
그럼에도 잘하고 싶은 것들

네게는 꼭 해주고 싶은 말이 있었는데
나는 항상 단어를 잊어버리고
말을 잘 끝맺지 못하는 버릇이 있고
끝을 흐리는 습관이 있어서

그래서 변변찮은 솜씨로나마

몇 줄의 문장을 적고

그런데도 내가 하고 싶었던 말은 어디에도 없고

너를 닮은 글도 온데간데없다

문장의 탈을 쓰고 버젓이 누워 있는

읽히기만을 기다리면서 조용히 놓여 있는

울음 비슷한 무언가

너만큼 나를 힘들게 하는

우리를 슬프게 하는 당연함도 없다

언젠가 너는 자정처럼 고요히 왔다가

새벽처럼 고요히 갈 것이라는

슬픈 예감, 틀린 적이 없는

가장 조용한 끝

당신은 천연덕스럽게 입을 닦고 눕는다

우리는 언제나 우리의 이름으로
그러니까 우리가 우리라는 자각 없이도
그 모든 생활을 지내왔다고 믿었다

그런데

우리

우리

우리..

무엇도 보장해 주지 않는 단어였으므로
나는 매일매일 기도하듯 외웠고
당신은 한 번도 입 밖에 꺼낸 적 없었다

언젠가 그 두 글자가 너무나 생경해
놀란 눈으로 당신을 봤을 때

언제나 그렇듯 당신은 천연덕스럽게
나를 봤다가
뒤집어둔 핸드폰을 봤다가
빈 과자 봉지를 구겨 쓰레기봉투에 넣었다

포옹 한 번조차 힘들던 그 시절
도대체 무엇이 우리를
아니 나를 힘들게 했냐고 물으면

죽은 이처럼 잠든 당신 얼굴과
깍지 낀 손 아래로 여전히 뛰는 맥박과
아무것도 쓰다듬을 수 없는 나와
그 모든 게 이 새벽에 존재한다는 감각

나는 괜히 다정해지고 싶었던 순간들을 구겨
쓰레기봉투에 넣었다

물망초 타로

네 웃음소리는 울음을 닮았다

네 울음소리는 그 어떤 울음보다 울음소리 같은데
웃음은 그렇지 않다는 걸 알게 됐을 때
그러니까 네가 웃고 있으면 왜인지 모르게 슬퍼질 때

그 치우쳐진 마음이 자꾸만 상상될 때
꽃점이라도 쳐서 네 내력을 알고만 싶어질 때

그럼에도 보조개는 누구보다 깊어 보이고
네 속만큼이나 까마득해 모르겠다는 생각을 했다

나뭇잎처럼 흔들리고 싶다고 말했을 때
바람에 흩날리는 네 머리카락
당최 무슨 생각을 하고 있는지 모를 얼굴
너를 닮고 싶다는 생각에 잠길 때쯤

내가 돌연 사라졌을 때의 너와
꽃이 다 지고 없는 거리에서의 너와
세상이 멸망하기 몇 초 전의 네가
같은 얼굴을 했으면 좋겠다는 욕심

그런 욕심 같은 마음이 아지랑이처럼 피고

다음 봄에는 왜 네가 떠날 것만 같지
나는 그때 어떤 표정을 하고 있을까

그런 마음 같은 걱정이 꽃빛처럼 지고

작가주의

…떠올릴수록 죄가 되는 날들

내가 말할 땐 꼭 말줄임표가 보이는 것 같다고
문장부호 하나까지 발음하는 것 같다고

그런 대화를 나눈 적이 있었다

사실 네 앞에서는
모든 문장의 효용을 비관하게 돼서
그랬다는 말
그건 작은따옴표에 가뒀다

문학을 위조한 자백
덜어낼 수 없어 차라리
긴 이야기가 되기를 택했던 날들

어떤 게 더 아프고 덜 아플지 가늠한다
그리고 그것은 결단코 죄이며

죄의 이름 앞에서 나는 무력해진다

어떤 논리도 덧댈 수 없었다

그러므로 나는 낭만주의자를 자처하여

마주치는 모든 것들에

각기 다른 별명을 붙였다

어설프게 미움을 흉내 내던 이가

정말로 무언가를 미워하게 되었고

결국 슬퍼져 홀연히 사라졌다는 이야기

이 이야기에 등장한 수많은 인물들을 떠올린다

그래 그러니

너를 달리 무슨 말로 부르겠어?

빈털터리의 마음으로

사랑이 고플 때면 밥을 지어 먹었습니다. 입에 넣고 씹다 보면 꼭 당신들 이름도 함께 우물거리는 거 같아서 좋았습니다. 차마 뱉지는 못하겠으므로, 그게 염치없는 일이므로 삼키는 게 좋았다는 말입니다. 잘 지은 밥처럼 오래 씹으면 단맛이 나는 것도 비슷해서, 나는 그걸 자주 했습니다. 무언가를 비워야 다른 무언가를 채울 수 있다는 사실이 조금 안타까웠습니다. 때로는 당연한 것들이 나를 울게 했고 그런 울음은 좀처럼 쉽게 그치지 않았습니다.

텅 빈 그릇을 보면 나 잘 챙겨 먹었구나 하는 생각이 듭니다. 시작과 끝이 모호한 바퀴처럼 살고 그 싱거운 나날에서도 나는 종종 나를 미워하고 그럼에도 허기를 느끼는 일이, 배고파하는 걸 알면 슬퍼할 사람이 있는 것이 너무 아득하게 느껴졌습니다.

배고프면 잘 될 일도 안 돼. 잘 챙겨 먹고 있지? 묻는 말에 나는 항상 묘한 부채감을 가졌고 그 온화하게 흐려지는 음성들은 언제나 나를 삶으로 몰아갔습니다. 응, 항상 잘 먹고 다녀. 되묻고 싶은 말이 있었지만 밥알을 씹어 삼키듯 넘겨버리고 말았습니다.

이제 물어볼 용기가 조금은 생깁니다. 사랑이, 사랑이 고플 때면 나는 정말 어떻게 해야 하나요. 무언가를 먹어도 자꾸 허기가 지는 것 같을 때, 꾸지 않던 꿈을 자주 꿀 때, 다친 입안이 낫지 않고 자꾸 헐 때, 입술이 잔뜩 터서 말하기도 힘들 때, 살아가는 일에 애를 써야만 한다고 느껴질 때, 그럴 때 나는 대체 어떻게 해야 하는 건가요.

사랑을 받아먹고 싶어지면 다른 어떤 것을 포기해야 할까요. 그게 자연스러운 법칙 같아서 나는 너무도 무기력해집니다. 언젠가 꼭 한 번은 앙상해진 마음으로 살아가게 될 것만 같습니다.

그런 슬픈 예감이 듭니다.

그쪽에서 이쪽까지

그쪽에서 이쪽까지
여기부터 저기까지

책상에 줄을 긋듯
어딘가에 선을 긋고

당신은 아무 말도 하지 않았는데
나는 무언가를 듣는다

슬프게 하는 법을 아는 듯 내게 구는
당신의 무구함

나는 신경질적으로
단어를 조립했다가

신경질적으로 지웠다가
덮었다가 썼다가
소리 내어 읽었다가

당신에게 버르장머리 없이 굴고 싶다
는 문장을 생각했다

이미 나는 충분히 제멋대로이고
거기서 한 발자국만 더 나온다면
충분히 미움받을 수도 있을 텐데

아무래도 그런 일은
아직은 두렵다
는 문장도 생각했다

요 며칠 잠든 사람처럼
얕게 호흡했다

울고 싶지는 않다고 생각하면서도
당신 눈빛을 자꾸만 떠올린다

당신은 아무것도 넘지 않았는데
나는 그게 전부 다 내 것인 줄 알았다

세계 종말

원한다면 당장 내일이라도
삼십 분 뒤에도 볼 수 있는데
꼭 영영 볼 수 없게 된 사람 같다

네 말이라면 공리처럼 믿던 날들
나를 몇 번씩이나 속이고
그러면 나는 몇 번보다 몇 번 더 속고

말의 끝맺음을 더듬어 올라가면서
너 그거 사실 거짓말이었지 묻던 날들
그러면 너는 사실 거짓말이었다고 하고

고요히 검은 시간과 외로워 보이는 얼굴
애쓰지 않아도 찾아오는 많은 것에
내 뺨을 맞대고 기뻐하던 때가 있었다

어떤 것들은 결단코
마음대로 멈출 수가 없다

그래서 이 지경이다

너덜너덜해진 손가락 끝으로

태연한 문장을 직조하고 있다

붕괴는 항상 그곳에서부터 시작되지

결격사유가 불분명한 사랑

부탁이야 아무것도 묻지 말아 줘

안녕

고작 팔십억분의 팔십억

네가 정말 밉다

사실 거짓말이야

나는 너를 영원히 영원해

매 계절이 다시 돌아오지 않을 것만 같은 감상을 남깁니다. 어떤 여름에는 녹아서 흘러가고 싶었고 어떤 가을에는 낙엽처럼 부서질 마음이 전부였습니다. 한겨울을 지나고 있는 요즘의 내게는 모든 것이 멈춘 듯 보입니다. 내렸던 눈은 녹는다는 것을 알면서도 저는 눈사람을 만듭니다. 채 나흘도 가지 않고 녹아버릴 마음으로 눈을 굴립니다. 손끝이 벌게져서 감각이 사라질 때쯤에야 자리에서 일어납니다.

이맘때쯤 나는 항상 지독한 우울을 앓습니다. 감기처럼 좀체 떨어지지 않는 이것은 전염성도 꼭 닮아 혼자 있는 일이 잦습니다. 손과 발이 자주 차갑습니다. 콧물이 날 것 같아 슬프지 않아도 훌쩍여야 하는 게 싫었어요. 듣는 것만으로도 감히 표정을 짐작하게 되는 소리가 있잖아요. 당신이 옆에 누워 있으면 제가 운다고 생각했을까요.

한 해의 끝에서 뒤를 돌아봅니다. 기억으로 남기기 싫었던 순간과 순간으로 남지 않았으면 했던 추억이 오래된 비디오테이프처럼 늘어집니다. 새해에도 똑같이 좋아하는 노래를 들으며 당신 생각을 할 걸 알지만 나는 도저히 그 장면이 떠오르지 않습니다. 너무나 자명한 사실임에도 이번 겨울이 내게 마지막일 것만 같습니다. 만약 빙하기가 찾아오면 손을 좀 잡을까요. 우리의 후손이 구원久遠한 과거의 사랑을 알 수 있도록 깍지를 끼고 멸종할까요.

영원이라는 말의 뜻이 바뀔 수도 있다고 언젠가 생각했습니다. 아득히 먼 미래에는 지금의 사랑을 뜻하는 말이 되어 있으면 좋을 것 같아요. 우리는 서로 영원해. 그런 문장이 오가면 좋겠네요. 겨울은 녹아도 겨울을 닮은 글은 녹지 않았으면 합니다.

새봄을 기다리며.

한겨울의 청춘

매년 이맘때쯤 입 안과 입술 주변이 만신창이가 돼요. 자연히 슬 픈 일에 대해 생각하게 돼요. 안부를 묻는 모든 이들에게서 다정을 받아먹으며 연명하는 기분이 들어요. 스테로이드 연고를 펴 바르며 거울을 보면 조금은 수척해 보이는 얼굴과 그럼에도 연민이 들지는 않는 모양새가 있어요. 자주 넘어지는 상상을 하고 언제 생긴지 모 르는 멍이 많아요. 이유 없이 슬퍼지고 당신의 걱정을 바라게 돼요. 내가 못나 보여요. 욕심인가 싶다가도 심술이 삐죽 고개를 들어요. 립밤 같은 다정을 줘요. 손길 같은 눈길을 줘요.

때로 슬픔은 비가역적이어서 어떤 슬픈 일은 영영 슬픈 일로 남 아요. 이걸 깨닫고 난 뒤부터 되돌릴 수 없는 것들이 지긋지긋해졌 어요. 만약이라는 게 다 뭐예요? 그런 말은 누가 만든 건가요. 기대 하는 것만큼 비참한 일도 없는 걸 당신도 잘 알잖아요.

무용한 슬픔의 얼굴로 지내다 보면 다른 것들도 쓸모없어 보여요. 연례행사 같은 잔병치레와 바닥을 향하는 시선과 움츠러드는 몸이 꼭 겨울 같아요. 이런 방식으로 계절을 앓는 것이 이제는 조금 힘들어요. 오래오래 잠들었다가 깨어나고 싶어요. 잠긴 목으로 필요한 말만 하고 싶어요. 무쓸모한 언어가 내 안에 너무 많아요.

한겨울의 청춘이 울고 있어요. 혀 밑에는 감춰둔 마음이 도사리고 있어요. 뱉지도 삼키지도 못한 것들에서는 감기약의 맛이 나요. 쓸쓸하게 녹아 인상을 자주 찡그려요. 당신이 간호보다는 병을 옮아가는 일에 능숙했으면 좋겠어요. 같이 아팠으면 좋겠다는 말이에요. 있죠, 나는 마리나의 화살촉이 되고 싶었어요……

여름, 대현동

까마득한 슬픔을 잘 아는 사람이 좋다
네 눈동자를 보고 있으면 슬퍼진다 말해도
내 눈을 피할 생각이 없는
오래오래 마주해 주는

너는 슬픔에 대해 나만큼이나 잘 알았고
그래서 많이 다정했고
그 말버릇이 좋았고
자꾸만 섣불러지는 내가 싫었다

병증처럼 깊어가는 계절과
아
조금 더 걷다 들어올걸 싶었던 밤
습기 때문에 옷이 잘 달라붙던 그 여름

너무나 시시콜콜해서
의미로 남아버린 순간들

너와 어떤 얘기를 했는지

이제는 가물가물하고

조금 먼 미래에는

네 얼굴까지 희미해져서

너는 여름 안개 같았다고만

그렇게만 기억되겠지

너 내가 그립지는 않을 거야

꼭 그럴 거라 믿고

그랬으면 좋겠다는 말,

말 대신 글

미발신 서간

어제는 비가 내렸고 잠깐 밖을 나섰는데 맨눈으로 보는 풍경은 파랬고 파랗게 덥다가도 투신자살하는 물방울들이 발목을 적셨어요 이곳은 아주 더워요 당신 생각이 나요 아주 습해요 습해요 슬퍼요 온 세상이 물기를 머금은 것 같아요

전등이 고장 나서 자꾸 깜빡거려요 무언가를 잊은 듯이 깜빡깜빡 눈이 아파 스탠드만 켜놓고 지내요 밖으로 나서는 일이 드물어요 내 세계는 잠깐 좁아졌고 몇 평 남짓한 공간에서 바삭바삭 말라가다가도 금세 다시 젖고 해는 또 왜 이렇게 일찍 뜨는지 그 길던 밤은 대체 누구에게 잡아먹혀 이렇게나 짧은지 지구는 왜 계속 돌고 비는 밤낮없이 내리는지 신변을 비관한 물방울들이 왜 이렇게나 많은지

알다가도 모를 것투성이인 나날에서 오로지 확실한 건 글밖에 없었는데 그래서 당신에게 가닿기 위해 써온 것들이 천지인데 지금은 아무것도 모르겠어서 아무것도 하지 않고 있어요 이곳은 그저 덥고 덥기만 하고 아주 더워서 당신 생각 말고는 할 것도 없고 빗소리인지 발소리인지 헷갈릴 때면 꼭 쓸데없는 낙관에 기대게 돼요

고작 이런 이야기를 하려고 펜을 들었냐 물으면 어떡하지 싶으면서도 그럴 리 없다는 것을 잘 알고 있으므로 이것은 불가피한 슬픔이에요 당신에게는 불가해한 일일 것이고 그러므로 이 글을 당신은 읽지 않았으면 해요 나는 무사히 여름을 지나고 싶어요

1177155400

잘 잤냐는 네 물음에는 항상 잠을 설쳤다 답하고 싶어진다 괜히 심술궂게 말하고 싶어진다 간밤에 내게 부족했던 것이 안락함이었다고 하면 너는 새물내 나는 이불처럼 굴었다 무엇이든 되어줄 것처럼 웃었다

습관처럼 튀어나오는 사랑과 그러므로 버릇이 되어버린 결핍 내 그런 결함조차 껴안을 수 있다는 장담 호언장담 같은 것들 오히려 나를 불안하게 하는 그런 말들

네 손바닥에 17171771을 적었다가 38317을 적었다가 알아듣지도 못할 네가 얄미워 손을 꽉 쥐었다가 놓는다 생각해 보면 웃기지도 않지 실제로 본 적도 없는 무선호출기-삐삐라고 불리는-의 암호를 주워 들어서는 네가 이해하길 바란다는 게

과거의 연인들은 숫자 몇 개로도 마음을 전할 수 있었구나 생각하다 보면 가슴이 답답해진다 아주 긴 문장을 써도 내가 말하고 싶었던 건 끝내 없었다 결국엔 떼쓰고 어리광 부리던 음절 몇 개만

남았다 여름이 되어 줘 겨울이 되어 줘 무너지지 않는 모래성이 녹
지 않는 눈이 되어 줘

이제는 공책 모서리에 네가 보고 싶다는 뜻의 암호를 적어 놓는
다 너는 내가 미워 떠났겠지

내게 부족했던 건 미움받아도 좋을 마음이었나

모순

누군가의 손길이 깃들어있는 것들과 지금은 방치된 모양새를 생각하다 보면 먼 과거 무언가를 짓고 가꿨을 마음이 떠올라 자연히 슬퍼진다 머물러 있는 마음은 없다고 받아들이는 데에 애를 써야 했고 그러므로 나는 영원성에 자꾸만 집착하게 된다

내가 너를 X라고 부르는 일도 그만둬야 할까 생각하다가도 아니지 너는 영원히 규정되지 않는 이름이어야지 고여 있으면서도 끊임없이 흐르는 강이어야 하지 얼마 전 읽은 소설이 떠올랐다 모순이라는 제목이었던가 사는 게 말이 안 되면 사랑도 당연히 말이 안 된다고 생각했다 사랑하며 사는 삶이 아주 힘든 것도 당연한 일이다

내가 아플 때 네가 간호해 주는 상상을 한다 침대 옆에 기대앉은 네 숨소리가 어느새 고요해지면 너를 옆에 뉘고 스탠드를 끄면 되겠지 며칠 전 다친 혀 밑이 쓰라렸다 목이 부어 물을 끓여 마셨다 말하기가 힘들어 입을 닫고 있는 나날이 이어졌다 마주하고 싶지 않은 얼굴이 자꾸만 보고 싶어졌다

보고 싶다는 말

그 말 한마디를 하지 못해서 길게 않았다

망친 시험

비가 온다

웅덩이를 들여다 보면
저편의 내가 있다

빗금은 동그라미를
동그라미는 다시 동그라미를

네 얼굴에도 파문이 인다
위태롭게 흔들린다
형체가 연약하게 일그러진다

물에 비친 너는 찡그린 것 같고
눈에 비친 너는 도저히 모르겠고

이런 날에는
자꾸만 눈치를 보게 된다

빗금을 주욱 죽 그으며

네 사랑은 틀렸다고 하는 것만 같아서

곁눈질로 보고

무엇이 옳은 건가 가늠하고

시험지에 그어진 오답과 내 마음에는

어떤 차이가 있지

베낄 게 없나 찾아보다가

그래서 내 사랑은 너를 닮았나

수평 매복 사랑

네 비밀이 되고 싶었다, 그런 말을 남기고 너는 떠났다. 길고 지겹던 장마가 끝나고 날씨는 점점 무더워지는데. 테두리 선명한 구름이 어디로 고개를 돌리든 보이는데. 너는 자꾸만 모르겠다며 고개를 젓더니 노을 지는 방향으로 휙 떠났다. 모든 게 완연해지고 있다 생각했던 것은 착각이었나.

언젠가 우리 사이에 정확한 기준이 있었으면 했다. 공정한 판결에는 재주가 없어 아픔을 호소하는 눈 앞에서 나는 언제나 흔들렸다. 그 모든 선택이 글렀던 것이라고는 믿고 싶지 않았다.

잊고 있었던 어금니 안쪽이 다시 아파왔다. 나 사랑니 났었지. 혀뿌리와 가까운 내밀한 곳에서 사랑이 몰래 자랐고 오래오래 아플 것 같다는 예감이 들었다. 끝난 줄 알았으나 이제야 시작이라는 생각을 하자 모든 게 아득하게 느껴졌다. 너는 내 눈을 보면 어떤 선택을 할까.

내 비밀이 되고 싶었다라고 했으면 안 됐다. 너는 내게 무엇인지 스스로도 모르는구나. 잇몸이 부어 아플 때마다 네 생각을 할 것

같았다. 둘 중 한 명만 아는 비밀은 효력이 없었고 증발하듯 흐려지
는 기억 속에서 통증만이 뚜렷했다. 이 감각을 두고두고 기억해야
할 것만 같았다.

이제 말해줄 수 있어?

짝사랑이었다가
짝을 잃은 사랑이었다가
이유를 잃은 사랑이었다가
그건 외사랑이었는지
왜 사랑이었는지
사랑일 수밖에 없었는지
사랑일 수가 있었는지
온 생애가 되리라 착각했던 오만이었는지
환절기 알레르기는 아니었는지
급하게 삼키다 사레들린 마음이었는지
너는 내 얼굴에서 섣부름을 봤는지
서투른 말솜씨보다는 글줄이 좋았는지
적확한 단어보다는 뉘앙스가 좋았는지

그러니까 우리에게 사랑이라는 건
이름만 훔쳐 온 계절의 일부였는지

회고

자주 취하던 시절의 귀갓길에는 적막이 안개처럼 깔려 있어. 네 목소리에 발을 맞추며 걸어. 방금 걷어낸 이불 같은 음색. 새물내 나는 언어들 사이에서 보송하게 잠들고 싶어 그해 여름에는 통화 연결음이 종종 새벽을 열었지. 최근에는 입술이 바삭거렸어. 객쩍은 말 몇 마디조차 버거워 혀를 놀게 하는 시간이 길어졌어. 정렬되지 못한 단어와 정돈되지 못한 걸음걸음 사이에 그리움이 비릿하게 피어나. 어디로 가든 상관없을 때가 있었으나 이제는 어디로 가는지 모르겠다는 게 문제야. 울음을 귀하게 여기던 저녁이 있었으나 물 쓰듯 써버린 시간에 덩달아 헤퍼진 마음이 대신 있어. 나날이 추워지고 건조해지고 있어. 제습이 필요 없는 슬픔이 있어. 무엇인가 한 치의 망설임도 없이 성큼성큼 떠나고 있어. 한 점의 주저함도 없이 바스러지고 있어. 시절을 귀하게 여기는 지금이 있어. 들키면 곤란한 속내와 곤경에 빠진 추억이 있어. 추억할 수 없는 추억이 있어. 기억이. 얼굴이. 네가 있어. 단호한 끝이 있어.

불현듯 밀려 왔다가 조용히 빠져나가는

쓸려나간 뒤 남아 있는 것들은 대개 무겁다

거의 매일 새벽 바다를 봤던 때가 있다

달이 뜨지 않았던 어느 날

그날은 모래사장을 오래 걸었는데

바람이 세게 불어 눈을 뜨기가 힘들었다

몇 발자국 걷고 잠깐 멈추기를 반복하다 보면

손난로가 금방 식어 두어 번 바꾸기도 했다

보이는 것이라고는 캄캄한 물살과

뾰죽뾰죽한 바위뿐인 그곳에서

파도 소리를 듣고 있다 보면

어쩐지 망연한 기분도 들었다가

조금은 당신이 보고 싶어지기도 했다

중간에 잠시 멈춰

모래에 어떤 글자를 끄적이다가

발로 비벼 지웠다

무엇인가 쓸려가 버렸다는 생각이 자꾸 들었다

그게 어떤 것이었는지는 나도 잘 모르겠어서

앞선 사람의 발자국만 보며 따라 걸었다

마음이 서서히 차올랐다가 서서히 빠져나가는 일

바다는 그 모든 걸 알고 있었나

그래서 그 밤 고요히 검기만 했나

이번 역은 대전역입니다

역방향으로 탄 기차
눈을 감았다가 뜨면
가까운 풍경이 잉크처럼 번진다

손쓸 수도 없게 멀어지는 감각
빈곤한 마음을 가지고 돌아가는 길은
언제나 아득하다

그러니 돌아가서는
네가 조금 다정해져 있을 거라고
멋대로 다 정해버리고

저작권이 말소된 음악 같은 얼굴
나는 여기저기서 너를 본다
손쉽게 부풀고 헤퍼진다
그리하여 네게 미운털이 박히는 일

이 세상을 이루는 대부분은

돌이킬 수 없는 것

비가역적인 것

그러므로 더욱 민감하게 살아야 한다는 사실

이 사실을 모르는 네 얼굴은

그저 투명하게 얄밉다

빛이 간헐적으로 차창을 두드린다

투두둑

툭

투둑

풍선껌을 불다가 터트린다

톡

토독

손쉽게 부풀고 파열한다

터널에 진입한 기차는

잠시간 암전

나도 덩달아 눈을 감았다

멀어지는 일에는 언제나

필요 이상의 마음이 쓰인다고 생각했다

Ⅲ. 들여다보는 마음으로

너는 이 글을 읽을 일 없으니

벗에게

여러 이유로 네게 편지를 쓰지 않았던 것이 오래되었으나 몰염치하게 펜을 든다. 한 쌍의 여름을 지나고 다시 가을. 너는 그 이후로부터 멀어졌을까. 우리는 너무도 달라져 있겠지. 계절과 계절의 거리감을 가늠하다 보면 가까운 것 같다가도 자주 아득해진다. 그렇게나 시끄럽게 들끓어 영영 고막 옆을 맴돌 것 같던 폭염도 대체 언제였냐는 듯이 가라앉고 거리는 쉽게 조용해진다. 본격적으로 추워지기 전의 애매한 온도가 사람을 병들게 하지. 글에 뱀 발을 덧붙이는 것을 썩 좋아하진 않으나 네게 읽힐 요량으로 쓴 게 아니므로 이번만큼은 내 마음대로 해야겠다.

돌이켜보면 나를 망가뜨리던 것은 언제나 아름다운 것이었지. 정해진 수순이라고 생각한다. 네가 차츰 예술로 승화될 때 나는 조금씩 비뚤어져 가고 있었지. 나와 취향이 제법 비슷한 이는 몇 있었으나 너만큼 교교한 눈빛을 가진 이는 없었다. 어느 때에는 햇빛 드는 설원 같았다가 모네의 풍경화 같았다가 시시각각 변하는 만화경 같기도 했다. 요즘도 그런 눈일까. 격동하는 나날에서 권태로운 일상을 사는 사람에게는 어떤 안광이 깃들까.

네게서부터 멀어지리라 작심했던 것이 무색하게, 갑작스레 변덕을 부리는 이유가 뭐냐고 네가 물어볼 것만 같다. 너는 머뭇대는 서두만큼이나 명료한 본론도 좋아했으니. 우습겠지만 이유는 없다. 어떤 사랑과 어떤 이별에 인과를 따지는 것만큼 멍청한 짓은 없다고 네가 그랬던 것처럼, 펜을 드는 일도 지어낸 문장이 너를 향하는 일도 그저 일어날 현상이었던 거지. 사실은 아직도 서성이는 말이 많다. 성큼 말고 주춤. 소극적일 수밖에 없었던 날들이 아직도 가끔 괴롭다.

네게 안부를 묻는 일이 소용없다는 걸 알면서도 쓴다. 네가 안녕한 시기를 살고 있다는 것을 안다. 사실은 나를 위해 쓴다. 나의 안녕을 위해 쓴다. 기온이 떨어질 때마다 나도 함께 추락하므로, 무언가를 붙잡는 마음으로 쓴다. 나를 위한 글이니 당연히 네게 보일 일도 보낼 일도 없다.

펜을 든 내내 면벽하는 마음이었으므로 글을 썼다기보다는 새긴 것에 더 가깝겠다. 그래도 조만간 찾아올 겨울에 대비했으면. 말하지 않아도 잘 알겠지만. 너는 그런 사람이지만. 그러니 굳이 말하지 않겠지만.

제철 비관

뒤를 돌아보니 초록이 너무 초록이었다
길을 잃은 기분이 들어 무작정 걸었다

눈이 부시도록 흔들리는 계절
그 한가운데서 인상을 자주 찡그렸다

햇빛이 너무 좋으면
그것 말고 다른 모든 게 싫어질 때가 있다

언제나 한 발짝 성급하게 비관하는 내게
봄은 왜 소리도 없이 오는 것일까

이러다 여름까지 와 버리면
정말 슬플 것 같은데

배가 고파질 때까지 걸었다
돌아오는 길에는 반찬 두엇을 조금 샀다

봄나물이야 건강에 좋아

조금 넣어줄 테니 먹어 봐

아프지 말라는 말을 생각하며 밥을 한 술 떴고

보고 싶다는 말을 생각하며 열심히 삼켰다

제철 음식을 챙겨 먹으라던 지인의 말도 떠올렸다

그때 먹었던 나물은 아직도 이름을 모르고

봄빛 같은 선의만 희미하게 남아 있다

밖은 어느새 온통 흐린 물빛이었다

비 냄새에 덜컥 겁이 났다

다정했다가 무정했다가 하는 날씨가 꼭 당신 같아서

이런 계절에는 살고 싶었다가 죽고 싶었다가 했다

아프지 말아야지

보러 와줬으면 좋겠다

하는 생각들 사이에서

자꾸 못된 마음이 튀어나왔다

첫사랑 부검

최초의 사랑과 최근의 사랑을 생각한다
별반 다를 것 없는 내용이지만
이제는 조금 더 돌발적이라는 것

잘 지내지, 나도 잘 지내
생각나서 연락해 봤어
보고 싶네
응, 둘 다 한가해지면 볼까
아프지 마

잘 지낸다는 게 어떤 건지 몰라도
잘 지내라고 하는 마음처럼
무작정 사랑하고 보는 버릇,
그런 버릇을 버리고 싶은 적이 있었다

입김처럼 선명하다가도 금방 흩어지는 말들과
요즘따라 자꾸 높아지는 하늘이 무서웠다
뱉은 모든 음절이 닿지 못하고 흩어질 것만 같았다

손 닿지 않는 저 위까지 올라갈 것만 같았다

저소공포증

그런 병이 있다면 내 진단이 될까

미워하지 않을게, 미워하지 말아 줘…

뭐든지 사랑으로 기억하는 버릇

그러므로 사랑으로 기억되고 싶은 마음

까마득한 걸 무서워하면서도 언제나 올려다보는 일

마음 내키는 때에 찾아가도

언제나 마주볼 수 있었던 시절을 떠올린다

그때 우리에게 부족했던 건 서로를 제외한 모든 것이었겠지

첫사랑의

사인은

낭만 결핍

문득 그런 생각이 들었다

춘몽

    요즘 나는 봄이 찾아 오기만을 기다리고 있어. 사람이 참 간사한 게, 가장 좋아하는 계절이 겨울이라 떠들고 다닐 땐 언제고 얼음이 녹길 기다리고 있다니. 웃긴 일이지? 요즘은 춥다는 느낌이 아니라 쌀쌀하다는 느낌이라 그런 것 같아. 추위와 쌀쌀함은 달라도 너무 달라서 다른 계절의 이름을 새로 만들어 붙여주고 싶을 정도야. 나는 쌀쌀한 날씨가 될 때마다 조금 외로워져. 쌀쌀함은 외로움을 부르는 날씨야. 당장 사전에 검색해 봐도 날씨나 바람 따위가 음산하고 차갑다는 뜻이래. 이런 날에는 옷을 껴입어도 이상하게 잘게 떨려. 몸이 내 마음대로 움직이지 않는 것 같아. 세상이 나를 미워하나 생각한 적도 있어. 혼자 남겨진 기분이 들 때마다 블라인드를 걸었지만 바로 앞에 보이는 건 콘크리트 벽이라 조금 슬펐어.

    그러니까 우리, 날이 따뜻해지면 소풍을 가자. 카페에서 좋아하는 음료와 같이 먹을 디저트도 사는 거야. 잔디가 살짝 자라 있으면 더할 나위 없겠다. 햇빛이 좋은 날 돗자리를 펴고 누우면 푹신한 초록과 우리 위로 부유하는 파랑 사이에서 봄을 느끼는 거야. 조금 늦은 오후에 도착해서 해가 지고 우리만 남아 있을 때까지 누워 있자. 그곳에서 돌아보는 겨울은 어떨까? 그간의 추위는 거짓말이었던 것처럼 느껴질까? 일회용 컵에 담긴 얼음이 서서히 녹으면 우릴 괴롭혔던 쌀쌀함도 녹아 버리고 괴로움도 걱정도 외로움도 녹아 버렸으면 좋겠어. 그렇게 되면 무엇이든 조금은 더 사랑할 수 있을까? 아직은 모를 일이지. 곧 봄이 온다는 사실도 믿기지가 않는데 말이야.

얼음이 잔뜩 들어간 음료도 시간이 지나면 미지근해지듯이, 그러나 넘치지는 않듯이, 지금 나를 가득 채운 쓸쓸함도 언젠가는 싱거워질 거라 믿어. 컵 표면에 물이 맺히듯 자주 울겠지만. 조금만 흔들려도 넘칠 것 같겠지만.

나는 연해진 복숭아 아이스티를 마시며 봄을 맞이할 거야.

새끼손톱을 왜 자꾸 뜯냐면

물어뜯은 손톱에도
달의 이름을 붙이는 습관이 있어요

언젠가 당신은 그믐달이 좋다고 했고
그날부터 나는 왼쪽 손톱을 자꾸 뜯어요

사소한 버릇에도 사랑을 끌고 오는 게 제 특기인 걸요

말하지 않은 것과
말하지 못한 것
둘을 놓아두고
지난 때를 생각해요

아무것도 전하지 못하는 언어는
사어死語와 다를 게 없나요
그렇다면 내가 쓰는 것들은
대부분 유서인가요

알아야만 했던 것들이
이제 알 수 없는 것으로 바뀌어 가요

어떤 사실은 모른 척해야
비로소 사실이 돼요

저는 당신을 알았기 때문에
당신에 관해서는
아무것도 몰라요

그럼에도 당신 앞에만 서면
낱낱이 해체되었다가
모든 걸 들키는 기분이에요

아직도 제 왼쪽 새끼손톱은
울퉁불퉁 짧아요

유언 같은 사랑을 전해요
남기는 말이에요

이름 붙일 수 없는 사랑

정교한 슬픔을 멋대로 망가트리고서 너는 웃었다. 유독 고백처럼 들리는 말이 많을 때면 일부러 대화를 끊었다. 함께 겨울 바다를 보러 가고 싶었다. 아주 오랜만에 든 생각이었다. 인적 드문 어느 해안선을 걸으면 좋을 것 같은데. 그러면 네가 조금이나마 나를 이해하려고 할까. 파도가 부서지는 소리에 맞춰 걷다 보면 소원이 이루어진다는 거짓말을 해야지. 조금만 더 함께 있자는 말은 도저히 못할 테니까 이렇게라도 해야지.

사실 내 문장들에는 어떤 효력도 없다는 걸 네가 알았으면 좋겠다. 밤바다, 까맣게 치받고 하얗게 무너지는 물살, 쓸려나가는 모래와 깎여나가는 바위, 그런 것들을 닮은 내 언어에서 너는 그저 열락만을 취하면 된다. 네게서 기쁨과 경이 같은 것들을 받아먹은 내가 끝까지 파렴치하게 남을 수도 있었겠으나 네 무구한 이목구비를 마주하고서는 도저히 그런 짓을 못하겠다는 말이다.

시처럼 정갈하게 누워 있다 보면 네가 나와 벽 사이를 비집고 들어오는 상상을 하게 된다. 바위 틈으로 튀어 오르는 파도의 일부처럼 제멋대로 머리를 들이미는 네가 떠오른다. 그럼에도 눈을 뜨면 방은 휑하니 외풍이 자꾸만 들이쳤다. 걸어둔 수건이 바싹 말라 있었다. 간밤에 도둑이라도 들지 않고서야 눈앞에 보이는 광경이 이렇게나 외롭고 슬플 수가 없었다.

사랑이 너무 사랑이었던 탓에 그 무엇도 아닌 것처럼 보일 때가 있었다. 조금은 서러운 마음과 그보다 미세하게 앞서 나가는 죄책감. 빗금을 긋듯 가차없다가도 아무 일 없었다는 듯 다정해지는 순간들이 괴로웠다.

생각하다 보면 선언하듯 비참해지는 이것은 사랑이었나. 명명하듯 이름 붙일 수 없는 이것은 무엇이었나.

열대야는 언제나 고요한 눈으로

이번 여름에는
놓쳐버린 것들을 애도하는 법

지나갈 자리를 내어주는 법
그런 것들을 배웠어요

잡을 수도 없게 멀어지는 일은
매년 네 번씩 겪으면서도

열아홉 번째 겨울은 왜 그렇게 슬펐는지
스물두 번째 가을은 어쩌다가 스산하기만 했는지

언제나 초입에 서 있고 싶었어요
돌아보는 일은 항상 힘겹기 때문에

내가 돌아보면
나를 따라오던 모든 것들이
함께 돌아보기 때문에

스물네 번째 여름이 어떤 얼굴을 했는지
나는 여전히 모르겠어요

아직 밤이 더워요

내가 더위를 사랑했다고
말할 수가 있을까요

모든 게 죄책감처럼 찾아왔다가
용서처럼 떠나가요

여름도 당신도 꼭 그럴 것만 같아요

조금 더 슬퍼지기 전에
당신이 어떻게 생겼는지 알아야겠어요

가만히 당신을 본다는 말이에요

풍경으로부터의 단상

담장과 담장 너머는 별세계예요
우리가 손을 맞잡는 순간 다른 개체가 되듯이

저 안에는 비눗물을 엎지른 아이의 울음이
울음을 달래는 다정한 손길이 있고

킥보드를 타고 질주하는 다른 아이의 웃음이
머리칼 사이로 활강하는 바람이 있고

꼬박 삼 일을 내리 운 것처럼
붉게 물든 장미가 사이사이 피어 있고

너무나 삶인 것들을 보면서
기쁨을 잘 모르겠는 나를 생각해요

나는 문득 겸허해지기도
거룩해지기도 했다가
슬프기도 했어요

당신은 말하는 일이 드물고

그러면 나는 덩달아

입술과 치아와 혀의 쓰임새를 생각해요

결코 나란해질 수 없는 날들은

우리의 보폭을 닮았어요

그것은 비극이므로

손가락 꼽으며 세었어요

한 철 뻐끔거리는 꽃잎들은

우리의 입을 닮았어요

그러나 그것은 비극인가요?

환절기

나를 이루는 말을 생각해 본다
나를 부르는 말을 생각해 본다

내 이름을 부르는 네 입모양과
내 별명을 부르는 네 입모양이

발음할 때마다 같은 게
다행이라고 생각했다

적어도 나를 돌아보게 할 때에는
변하지 않는 마음이라는 것 같았다
그게 당연한 사실이라는 것 같아 좋았다

슬픔과는 거리가 멀어 보이는 네 표정에서
나는 왜 그리도 깊은 다정을 보는가

비가 내릴 때의 네가
어떤 얼굴일지 궁금해져서

흐린 날이면 자꾸 기대하게 됐다

얼마 전에는 정말 비가 내렸고
이제 점점 추워진다는 일기예보가 있었고
무엇인가 완전히 떠나버린 것 같아서
너를 찾아가려다 말았다

낙관론 같은 나날을 살며 배운 것은
아무래도 좋다는 마음

다정을 소리 내어 말하면
네가 대답하려나

내가 네게 죄를 짓고 있는 것만 같아서

사랑에서 발을 헛디디면 미움으로 돌변하는 마음. 그런 마음을 갖고 보냈던 밤은 항상 힘들었다. 내가 하고 있는 게 사랑인지 원망인지 모르겠는 날이면 이제껏 썼던 글을 괜히 다시 읽었다. 한때는 네게 여름과 가을 사이의 모호한 사람이 되고 싶었다. 장마철의 습기 같다가도 마른 낙엽 같은 사람. 팔월처럼 달라붙어 있다가도 시월처럼 떨어져 나가는 사람. 그러나 천성이 춥고 건조한 나에게 무리였다는 것을 짧지 않은 시간이 지나서야 알았다. 가을이 오기 전의 침묵을 너는 기다릴 수 없었나. 이런 생각을 하면 네가 자꾸 미워진다. 좋다가도 걷잡을 수 없이 미워져서 나쁜 글을 쓰게 된다.

미워하는 것도 많고 미안한 것도 많다. 언제쯤 줄어들까. 미움이든 미안함이든 많아서 좋을 게 없을 텐데.

종말을 선언하듯 노을이 지면 이런 고민이 다 무슨 의미인가 싶다. 타들어가는 것들은 왜 죄다 붉을까. 왜 매캐한 것들을 남기는 걸까. 그래서 어떤 낙조는 나를 울게 하는 걸까. 미움의 근거를 찾다가 아무것도 모르겠다는 생각을 했다. 고마움과 죄책감이 다를 것 없겠구나 싶었다. 얇게 저민 하늘 사이로 오렌지빛 붉은 비늘이 보이고 자꾸 기침이 난다. 너는 세기말의 얼굴을 하고 있다. 죄다 끝이 나버릴 것만 같다. 휴거된 사람처럼 들뜨고 두려운 마음으로 너를 찾는다.

네 이목구비에서 속죄를 찾는 건 고마운 일이 많아서일 것이다. 그러니 네 이름을 부를 때마다 자꾸 슬퍼지는 건, 그건 아마…

여름의 일면 1

녹아 흐르는 것들이 서로 묶이고 있어요
찡그리며 눈을 감으면
눈꺼풀 안에 햇빛을 가둘 수 있을까요
여름마다 찾아오는 것들이 있어요

아무런 의미도 되지 못해서
아무렇지 않게 말하느냐고요,
당신은 한결같이 무정하고
여름의 태양처럼 무자비해요

껍질이 다 벗겨질 때까지
몇 번을 익었는지도
몇 번을 새까맣게 탔는지도 몰라요

당신을 찍었던 필름처럼 말이에요
태양을 등진 당신 모습을 사랑했어요

그러니 당신과 여름

여름과 당신

어떤 것이 먼저 오든

두 팔 벌려 맞이할 폭력이에요

녹아 흐르는 것들이 시로 묶이고 있어요

제가 하는 말은 초록이자 장마예요

비나 내렸으면 좋겠어요

잠시라도 숨을 참으면

질식할 것만 같은 계절

겨우내 잠들어 있다

조금씩 생동하던 것들이

엉겨 붙고 있어요

숨을 달라고 애원했던 건 거짓말처럼

차라리 모두 녹아 하나의 시가 되면

이번 여름은 잘 날 수 있을까요

아주 보통의 나날

잘 지냈냐고 물어본 거야? 궁금했다니 기쁘다. 보통의 나날을 보내고 있어. 뭐가 보통이냐고 묻는다면 그건 조금 생각해 봐야겠네. 막 궁금해져서 사전에 찾아보고 왔는데, 특별하지 아니하고 흔히 볼 수 있거나 뛰어나지도 열등하지도 아니한 중간 정도를 보통이라고 한대. 햇빛이 비스듬하게 들어올 때 기지개를 켜는 고양이처럼, 들꽃이 조용히 흔들리는 풍경처럼, 가로등 아래 두 사람이 연인 같아 보일 때처럼 지극히 별것 없는 모양새 말이야. 이런 이야기를 늘어놓다 보면 보통에 근접하기 위해 발버둥 쳤던 우리의 몇몇 순간이 기억나. 불안할 때마다 네게 후광이 비쳐 보이는 거 같았어. 그래서인지 네 표정을 읽을 때에는 자꾸 찡그리게 됐고… 내 불안은 네 얼굴을 한 빛무리의 먹이가 되는 건가 싶었지. 지금 생각해 봐도 맞는 말인 것 같아. 뜬눈으로 보내는 밤이 많아질 때마다 너를 쳐다볼 수 없던 순간도 덩달아 많아졌으니 말이야. 나는 너를 혐오했던 걸까? 알고 싶어져. 너는 어디선가 잘 웃고 있을 텐데 나는 자꾸만 왜 네 우울이 떠오르는 건지. 네 삶을 알고 있음에도 선연히 그려지는 것은 왜 너의 완전한 부재인 건지. 어떤 찬란은 왜 꼭 어떤 죽음의 모양새를 하고 있는지. 이건 너를 싫어하는 것에 가까운 게 아닌지. 너는 왜 호오의 범주에서 항상 벗어나 있는 걸까. 여름꽃이 지는 속도로 마음이 져버리면 가을 같은 미움이 당연하다는 듯 다가와. 그래서 매년 이맘때쯤의 글에는 심술이 잔뜩 묻어있는 걸지도 몰라. 잘 지냈냐고 물어봤었지? 무엇인가 고여 드는 한낮과 어디론가 결결이 흘러가는 한밤을 보내고 있어. 아주 보통의 나날을 보내고 있어.

들여다보는 마음으로

열매가 떨어진 자리에 꽃이 피어있었음을 생각하는 사람이 되고 싶어요. 당연한 것들은 언제나 외면당하고 우리는 항상 그것들에게 잔인해요. 우리의 모든 권태가 실패하기를 바라요.

당신은 어떻게 살고 있나요. 조금은 낯선 날들을 지내고 있을까요. 깨어있는 동안에 많은 것들을 보고 듣고 만지나요. 아마 그럴 거라고 생각합니다. 당신은 섬세한 사람이니까요. 있는지도 몰랐던 들꽃의 사진을 자주 찍던 사람이니까요. 조금 천천히 걷는 법과 걷다가 멈추는 법 모두 당신에게 배웠어요. 의도의 변질 없이 마음을 전달하는 법까지도요.

요즘 글을 적고 있노라면 당신이 종종 떠오릅니다. 당신은 읽다 보면 울고 싶은 마음이 드는 책이었고 밑줄 긋고 싶은 구절이 많은 책이었어요. 그래서인지 내가 적은 글을 다시 읽어 보면 당신을 조금 닮아 있다고도 느낍니다.

선물한 꽃을 아름답게 하는 건 꽃을 받는 사람의 마음이므로 사랑이 사랑일 수 있는 것도 당신 덕분이라는 문장을 적은 적도 있어요. 단어와 단어 사이에서 선량한 음성이 들리는 듯합니다.

우리가 다정이라고 부르던 그것, 사실은 길가의 꽃을 들여다보는 것과 별반 다르지 않다는 걸 이제야 조금은 알 것 같아요.

시선을 내어주는 법을 배워야겠습니다. 봄이니까요.

노란장판 청춘

아, 지독했던 날들의 이야기를 하자 생각하기도 벅찬 나날들이었지 너는 잠에서 막 깬 듯한 천진한 얼굴로 잔인한 단어들만 골라 뱉었다

아무것도 없음이 자랑이라면 자랑일까 우리는 그 시절 초라한 존재들이었다 그 계절 단단히 미쳐 가만히 이마를 맞대었다가도 누구 하나 죽으라는 듯이 박치기를 해댔고 그날 밤 내가 쓴 글에 가여운 문장이 피 대신 흐르면 그렇게 좋을 수가 없었다

살결이 얽히듯 고도로 뒤엉켜 눈만 쳐다보고 있어도 의미가 통하던 때 그러므로 말하는 시간이 아까웠고 사랑한다는 말보다 독한 말을 찾다가 포기한 밤이었다 나는 너를 해 무엇을 하냐고 그건 나도 모르겠어 매끈한 단어를 집어 네 입에 넣어주려다가 놓치고 말았어 깨어진 음절에 다칠 수 있으니 곱게 싸서 버리는 게 어때

내가 붙인 너의 별명은 피터였으나 너는 나를 이름으로 불렀지 사는 세상이 달랐나 너는 잠시 묵었다 가는 객이었나 아무래도 네

게 너무 많은 것이 겹쳐 보였나 가끔씩 후크 선장의 마음으로 못되게 굴었던 거, 그러면 안 됐었나

잘못된 방향으로 직조된 청춘, 그럼에도 계속된다면 사랑보다 위대하리라 믿었다 지금보다 조금 더 어렸던 때의 무모함이었다

아이쟈나이

이건 사랑이 아니라고 반복해서 말하는 타국의 노래를 듣다가 그럼 뭐가 사랑이냐고 되묻고 싶었다. 네가 말하는 사랑은 뭘까. 너처럼 장난스러운 동시에 무엇보다 진지한 얼굴을 가진 사람을 본 적이 없다. 네가 하는 말 중에 무엇을 삼키고 무엇을 뱉어야 할지 모르겠어서 무작정 믿었던 날들이 많았다. 나중에 같이 살자는 말. 어디 먼 곳으로 가자는 말. 안아줄까 묻는 말. 네 그런 말들은 언제나 농담과 진담 사이를 줄타기했다.

콜라주처럼 이어 붙인 우리 대화가 너무 슬퍼 언젠가 네게 화를 내고 싶기도 했다. 하지만 그 무구한 얼굴, 어떤 악의도 침투할 수 없는 그 얼굴에 내 우울은 언제나 길을 잃었다. 남는 것은 또다시 너와 너를 닮은 마음과 너를 닮아가는 나. 농담 반 진담 반으로 네가 밉다고 말하면 너는 당연히 믿지 않을 것이다. 출처 모를 네 여유를 닮고 싶었으나 의뭉스러움만 비슷해져 갈 뿐이었다.

나는 이제 모든 사랑이 장난 같다고 여긴다. 짓궂게 하는 못된 짓. 그러니까 내게 짓궂었던 네 모든 순간이 사랑이었으면 좋겠다. 알아야 했으나 알 수 없었던 것들이 찢어진 설명서처럼 있었다.

나도 이제는 누군가에게 가끔 심술 맞게 된다

밀려 쓴 답안지 같은 시절이었고 나날일 것이다

곱씹을수록 아쉬움만 남는

두고두고 안타까운

새해 다짐

연말연시 묘하게 들뜬 얼굴이 좋습니다. 우리를 괴롭게 했던 것들은 다 버려두고 잘 살아보자 다짐하는 것 같은 말투가 좋습니다. 행복의 연속을 바라는 것이 좋습니다. 같이 술잔을 기울이는 사람들의 평온을 소리 내어 기도하는 것이, 당신과 내가 늘 그랬듯 즐거우리라 확신하는 것이 좋습니다. 다 같이 편안한 얼굴을 하고 있는 모습이 풍경과도 같아서 나는 줄곧 이때가 기다려집니다. 해묵은 우울들이 태양을 따라 지평선 아래로 침몰하고 새로운 얼굴을 한 기쁨 같은 것들이 구원처럼 떠오릅니다.

새해니까 버킷리스트를 정해보자는 말에 무엇을 하고 싶은지 생각해 봅니다. 나는 올 한 해 조금 더 긍정적으로 살아 보려고, 그게 버킷리스트씩이나 되냐는 말에 그간 나를 이루는 비관이 너무 많았다 대답합니다. 이제 무언가를 싫어하는 게 아니라 아직은 좋아하지 않는 걸로 생각하려고요. 모든 것에는 저마다의 빛깔이 있고 내가 미처 발견하지 못한 면면들이 있으니까요. 조금은 더 들여다봐야 할 수도 있고 오랜 시간이 걸릴 수도 있지만, 미워하는 일을 차츰 줄여 보려 합니다.

싫어하는 것이 아니고 좋아하지 않는 것. 더 나아가 '아직은' 좋아하지 않는 것. 언제나 나를 웃게 하는 것과 언젠가 나를 웃게 할지도 모르는 것의 차이. 그런 것들에 조금 더 섬세해지고 싶습니다. 올해에는 조금 낙관하며 살아볼까요.

바다 건너 두고 온 것

어쩌면 다시는 볼 수 없을 풍경, 햇빛과 바람과 그 풍경을 두고 돌아오는 길이 너무나 슬퍼져서 문득 죽고 싶다는 생각을 했습니다 날씨는 화창하고 귀에 꽂은 이어폰에서는 수백 번 반복 재생했던 노래가 흘러나오고 있고 내 마음을 아는지 모르는지 열차는 돌아갈 생각을 않고 창밖 풍경은 담을 새도 없이 지나가고

꼭 그 모양이 너 다시는 돌아오지 않을 거지 나를 이곳에 남겨둔 채 내 기억만으로 살아갈 생각이지 단정 짓는 것 같았다

슬퍼할 일에는 슬픈 만큼만 슬퍼하고
기쁜 일에는 넘치게 기뻐하고 싶었다

입안이 온통 헐어 먹는 일도 마시는 일도 힘겨워했던 그 며칠 동안 온전히 기뻐할 수 있었음에도 사이사이 찾아오는 결핍감과 날씨가 너무 좋아 쓰러질 것 같다는 생각 아뜩아뜩 희미해지는 눈앞 햇빛은 왜 이렇게 좋은 거야 바람은 이토록 시원하고 이런 기억들은 왜 차츰 증발하는 거야 타국의 향기는 상상하는 것만으로도 벌써 이렇게 아득하기만 한데

다음번에는 아주 먼 곳으로 가고 싶다는 생각을 했다

여름의 일면 2

여름 냄새가 물씬 나는 거리를 걸으며 너를 생각한다 생각한다 아직 5월도 채 되지 않았는데 왜 여기는 온통 초록이고 폭발적인 생동이고 막막한 생각 끝에 다시 초록뿐이고

봄의 한가운데에서 털끝도 보이지 않는 폭염을 그리는 건 네 생각을 하는 것과 꼭 닮아 있다 어중간한 마음으로 슬퍼졌던 모든 나날을 닮아 있다 가지치기는 왜 하는 거예요 묻는 말에 보기 흉하잖니 하던 대답 가지들을 잘라내듯 보기 흉하게 뻗어 나온 마음을 쳐낸다 차라리 앙상했으면 거들떠보지도 않았을까 그러나 자꾸만 무성해지는 마음 여름을 닮은 마음 나무가 나무여서 자라는 것처럼 그리움도 그리움이므로

그곳에서도 여름 풍경이 언뜻 보일까 그저께에는 손잡고 걷는 연인을 보며 연리지 같다는 생각을 했다 못했던 말이 나이테처럼 쌓여간다 내 가장 안쪽에는 최초의 그리움이 있다 슬픔이 수액처럼 흐르는 날이 잦았다

이 봄을 무사히 건너면 꼭 네게 안부를 물을 것이다

너는 예전부터 피서하는 법을 잘 알았으니

더위를 먹거나 하지는 않을 것이고

그러므로 너는 내 의중을 알아내고야 말 것이다

꼭 네게 안부를 물을 수 있었으면 좋겠다

데굴데굴

버릇처럼 마음을 들여다보는 모습
그 모습을 보여준 적이 있다

너무 만져서 반질거리는
새것의 광택과는 조금 다른

내가 이걸 자주 만지작댔구나
손에 쥐듯 감싸들고
불안처럼 굴려댔구나

그런 생각을 하다 보면
좀 더 애틋해진다

누군가 주워갔으면 싶다가도
가끔은 아무에게도 주고 싶지 않아진다

긁혀도 아프지 않을
둥근 모서리의 사랑만 남아

조약돌처럼 희고 둥글게

둥글고 희게

굴러다닌다

전리품처럼 마음을 챙겨 떠나는 이의 뒷모습

그 모습을 멀거니 본 적이 있다

그러면 나는

새로운 돌을 주워서 다시

만지작

만지작

가로등 밀회

제 방 창문으로는
햇빛이 아주 잠깐 들어요

당신 사진을
벽에 붙여 놓고 싶었다가도

아주 잠깐 찬란하다 말 거라면
그건 몹시 죄이므로

우리는 어두울 적에만 만나요
수상쩍은 마음이라면
받지 않으셔도 좋아요

쉽사리 가난해지지 않는
제 그리움을 대신 드려도 좋아요

공연히 헛돌던 말과 눈동자도
언젠가 이해할 날이 오리라

그렇게 믿고 있어요

그림자가 보이지 않아
어쩐지 슬프기도 했던 때

다음 밤에는 제발
집으로 돌아오는 골목길 어귀
가로등 밑에서 만나요

(찾아오지 않을 거라고는 말씀하시지 말아요)

기현상

너를 만날 때마다 나는 자주 슬퍼지고 희어진다
모든 걸 관조하는 눈빛으로 서로를 쳐다보았지

낙조가 주황빛으로 분신하다 이내 추락한다
땅 저편에서는 새로운 일출이겠지만
네게 그런 건 중요하지 않을 것이다

너는 땅을 딛고 있으면서도 이 땅의 사람이 아닌 것 같다
너는 또다시 그 눈빛이다
반은 무정함 나머지 반은 다정함

그러므로 너만큼 공정한 사랑은 없었다

나는 너와 함께일 때 아주 힘들었고
그림자처럼 우뚝 선 너와
휘청거리는 마음
그 선량한 목소리와 미움받아 마땅한 너는
자주 내 옆에 있었다

일몰과 일출은 중요하지 않았을 것이다

이쪽이 동쪽인지 서쪽인지

그런 것도 중요하지 않았을 것이다

그 타오르는 이미지에 나는 이상하게도

항상 푹 젖어있는 너를 떠올렸다

그러므로 너만큼 기묘한 애정도 없었다

활자 중독증

온 생애가 책장처럼 나부낀다

사랑하고 사랑받기를 원하다가도
해가 뜨면 결핍은 없었던 것처럼

네게 상처받는 것까지도 언제는 구원처럼
거룩한 성흔처럼 여겼던 적이 있다

눕는 곳마다 등이 굽어
이불을 자주 펴줘야 했다

온 생애가 책장처럼 나부낀다

사이사이마다 마음을 주었던 대화와
오래 쓰다듬었던 얼굴이 시구처럼 쓰여 있다

필사하고 싶었던 이름이 있고
보지 않아도 그릴 수 있는 얼굴과

그럼에도 잊어버려야 했던 것들과

펜을 놓고만 싶어지는 밤이 있다

너는 끝까지 읽지 못했던 책을 꼭 닮아 있다

나는 아직도 결말을 모른다

운율론

새벽 신호등의 속도로 깜빡이는 눈
주황빛 시선과 텅 빈 도로
큰길로 걷다 보면
가끔씩 빈 택시가 지나간다

삶도 비슷한 풍경일 것만 같아

시끄러운 건 맥박뿐이다
할 말이 있었는데 못한 기분이 들면
항상 같은 노래를 들었다

익숙한 전주가 들리고
심장이 내려앉을 때마다
시를 쓰고 싶었다

당신 얼굴에는 선율이 있다
그래서 마주 볼 때면 가슴이 철렁하지

그 위태로움 속에서

쓰고자 했던 건 시가 아니라

시를 닮은 당신이었나

칠월의 찬가

태양처럼 까마득한 얼굴
열락처럼 피어나던 얼굴

이 한철을 어떻게 보내야 할까
폭력적인 나날에서 너만은 왜
너만은 왜 바람이고 그늘이고 파도인 걸까

손차양을 해도 볼 수가 없어

눈을 앗아가려고 너는 그렇게 별이었나
모든 풍경을 보고 싶어 나는 그렇게도 그을었나

무너지기 위해 너는 며칠 전 구름이었나
눅눅해지기 위해 나는 며칠 동안 말라있었나

사랑이란 말이 어울리지 않을 것 같은 날씨
그래도 이럴 때 떠오르는 건 꼭 너밖에 없지

맹꽁이 울음

원인불명의 우울과 갈피 없음을 사랑합니다
이름 붙이기 어려운 감정들이 좋습니다

무언가를 쓴다고는 하지만
읽히리라고는 생각하지 않습니다
혼잣말과 다름 없으나
그러므로 다정한 대답이 나를 울게 합니다

보고 싶은 사람의 얼굴이 문득 떠오를 때나
좋아하던 가게의 이름이 별안간 생각나지 않을 때,
당신과 그런 일이 있었나, 하는 순간마다
슬퍼지는 사람들을 위해 씁니다

우리는 종종 울지만 삶이 항상 젖어있지만은 않습니다

함께 눅눅해집시다
마르는 일은 그 다음의 일입니다

작가의 말

수많은 슬픔과 다정을 알려준

모든 이에게 감사하며

2024년 여름

전윤철

물어뜯은 손톱에도 달의 이름을 붙이는 습관

발 행 | 2024년 07월 02일

저 자 | 전윤철

펴낸이 | 한건희

펴낸곳 | 주식회사 부크크

출판사등록 | 2014.07.15(제2014-16호)

주 소 | 서울특별시 금천구 가산디지털1로 119 SK트윈타워 A동 305호

전 화 | 1670-8316

이메일 | info@bookk.co.kr

ISBN | 979-11-410-9188-0

www.bookk.co.kr